月刊文庫 文蔵 2024.6 目次

特集

永遠の幸せ？ 波瀾の始まり？

令和の「婚活・結婚」小説

子

連載小説

※「闇の絵本」は休載いたします。

月刊文庫 文蔵 2024.6 目次

表紙デザイン・管野はるな／本文デザイン・小林美代子

結婚」小説

CONTENTS

ブックガイド

誰かと共に生きるってこんなに大変？ 幸せ？
千差万別な「夫婦」を描いた小説14選――吉田伸子

PHP研究所の結婚にまつわる小説傑作選

特集

永遠の幸せ？
波瀾の始まり？

令和の「婚活・

永遠を誓った相手と、
果たしてどんな人生を送るのか——。
人生最大の選択ともいえる「結婚」。
マッチングアプリや婚活パーティーなど
婚活事情の変遷、夫婦の役割、
家族のあり方の変化など、
制度や価値観も目まぐるしく変わっています。
新しい時代の「婚活・結婚」を
小説で考えてみませんか。

ブックガイド

千差万別な「夫婦」を描いた作品14選

誰かと共に生きるってこんなに大変？　幸せ？

文・吉田伸子

今年の二月、フジテレビ「ザ・ノンフィクション」（毎週日曜十四時）で前後編、二週に渡って放送された「結婚したい彼と彼女の場合～令和の婚活漂流記2024～」。婚活アドバイザーの元を訪れた二十八歳の女性と、二十九歳の男性、そして五十五歳のバツイチの男性、彼ら三人の「婚活」に追ったものだった。

最初は、中高一貫の男子校出身の二十九歳男子の、年齢の割には〝練(ね)れてなさすぎる〟感じに、マジかっ？　と突っ込みながらも観ていたのだが、二十八歳女性の、何がなんでも結婚を、と望むその姿から目が離せなくなってしまった。どうしてそんなにも結婚がしたいんだろう？　と。そしてふと思ったのだ。結婚って、なんなんだろう、と。

　個人的には、結婚は「契約」だと思っている。そしてその「契約」のあり方は千差万別なのだ、とも。百組の夫婦がいれば、百通りの結婚があるのだ。だから、結婚って何？　という問いに対しての普遍的な答えは、きっとない。自分なりの答えを見つけるしかないのだ。というわけで、その答え探しの一助にと、結婚にまつわる本をご紹介します。読後、結婚したくなるのか、やっぱり結婚はいいやと思うのか、結婚に関してはちょっと保留にしておこう、と思うのかは分かりませんが、一歩でも答えに近づけたらいいな、と思います。

「婚活」も「結婚式」もいばらの道？

　結婚に至る道は、一つではない。恋愛もあればお見合いも結婚相談所もある。なかでも、結婚相談所は今どきの「婚活」の最前線。辻村深月さんの『傲慢と善良』は、突然失踪した婚約者・坂庭真美を探し求める西澤架の視点で第一部が描かれ、真美の

『傲慢と善良』
辻村深月著／朝日文庫

視点で第二部が描かれている。架が真美を探す過程で明らかになっていく彼女の過去。真美は、過去に地元で結婚相談所に通っていたのだが、その相談所を営む老婦人・小野塚の「現代の結婚がうまくいかない理由は『傲慢と善良さ』にあるような気がするんです」という言葉が深い。彼女の言う「傲慢と善良さ」とは何なのかは、本書でぜひ。

婚活本といえば、南綾子さんの**『婚活1000本ノック』**と**『結婚のためなら死んでもいい』**も。前者はフジテレビでドラマ化もされたので、視聴された方も多いはず。どちらも、〝婚活めった斬り〟っぷりが小気味いいのだけど、婚活のその先というか、結果として、自分らしく生きることへの肯定があるところが、またいいのだ。

「婚活本」の次は、「結婚式」を描いた本を。あさのあつこさんの**『末ながく、お幸せに』**は、九江泰樹と瀬戸田萌恵、二人の結婚式の出席者八人のスピーチを描いたもので、彼らが語っていくそのスピーチが、新郎・新婦、二人のドラマを浮かび上がらせ

『結婚のためなら死んでもいい』
南 綾子著／新潮文庫

『婚活1000本ノック』
南 綾子著／新潮文庫

る。

そのなかでも、萌恵の従兄(いとこ)である佐々木慶介(ささきけいすけ)が語る「相手に幸せにしてもらうのではなく、相手を幸せにするのではなく、自分の幸せを自分で作り上げる。それができる者同士が結び合うこと。本物の結婚とはそういうものなのだろう」という言葉が、読後も強く響いてくる。

『本日は大安(たいあん)なり』は「婚活本」でも紹介した辻村さんの「結婚式本」。ある大安の一日、高級結婚式場「ホテル・アルマーティ」で行われる四組の結婚式を、グランドホテル形式で描いたもの。「エンタメ史上最強の結婚式小説」とは、裏表紙に書かれた言葉だが、まさに！　個人的には妃美佳(きさきみか)と鞠香(まりか)、一卵性双生児である彼女たちの愛憎（！）を描いた、相馬家(そうま)・加賀山家(かがやま)のエピソードがツボです。

共に暮らすって難しい、「結婚生活」を描いた作品

「婚活」「結婚式」の次は、「結婚生活」について描いた本を。金(かね)

『末ながく、お幸せに』
あさのあつこ著／小学館文庫

『本日は大安なり』
辻村深月著／角川文庫

原（はら）ひとみさん『**アタラクシア**』は、そのタイトル（心が平静であること）からは見事に遠い人物たちが織りなす恋愛模様を描いているのだが、なかでも、由衣（ゆい）と夫の桂（けい）、由衣の友人で編集者の真奈美（まなみ）とその夫、破綻（はたん）しつつあるこの二組の夫婦の在り方がリアル。

高瀬隼子（たかせじゅんこ）さんの『**水たまりで息をする**』は、水道水が臭い、と入浴を拒むようになった夫とその妻・衣津実（いつみ）の物語。ともに暮らす相手が、静かに、けれど確実に壊れていくその様は、どれだけ不気味であることか（というか、現実問題として、不気味以上に臭すぎると思う）。やがて、二人は東京のマンションを引き払い、新たな場所に活路を求めるのだが……。「許したくてしんどい。夫が弱いことを許したい。夫が狂うことも許したい。だけど一人にしないでほしい」という衣津実の、ひりつくような切なさと苦しさに、読んでいて思わず呼吸が浅くなる。

白石一文（しらいしかずふみ）さんの『**我が産声（うぶごえ）を聞きに**』は、非常勤の英語講師をしている四十七歳の名香子（なかこ）が主人公。ある日、名香子は、夫の良治と二人でランチを食べていたその席で、突然別れを告げられ

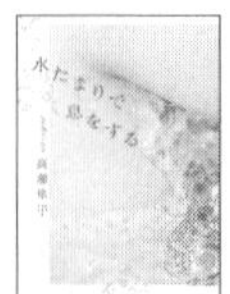

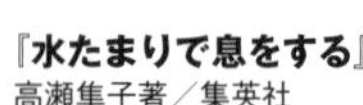

『水たまりで息をする』
高瀬隼子著／集英社

『アタラクシア』
金原ひとみ著／集英社文庫

る。それは、良治が初期の肺がんを告知された直後のことで、呆然とする名香子を店に残したまま、彼は立ち去る。「なかちゃんより何倍も好きになってしまった」という、その女性の元へ。

長年連れ添った夫と、これからも穏やかな日々が続いていくはずだった名香子の心境、推して知るべし。良治、どうしてこんな酷いことができるかなぁ、とは思うけれど、同時に、やっぱり夫というのは〝一番近くで暮らしている他人〟なんだな、とも思う。どんなに長く一緒にいても、他人のことはわからないし、わからなくて当たり前なのだ。物語の背景にコロナ禍がある、というのも、夫婦という関係の不安定さを浮かび上がらせていて巧い。

山内マリコさんの**『かわいい結婚』**は、三編からなる短編集。致命的に家事能力に欠ける二十九歳の専業主婦ひかりを主人公にした表題作が出色で、読後じわじわと効いてくる。可愛らしいタイトルなのに、その実は主婦という立場にある女性の本音が詰まった劇薬でもある。

とりわけ、苦手な家事を一手に引き受けて、しかもその暮らし

『かわいい結婚』
山内マリコ著／講談社文庫

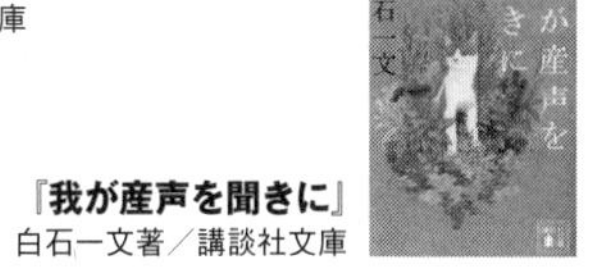

『我が産声を聞きに』
白石一文著／講談社文庫

がずっと続いていくことに対して、ある日、ひかりは心で吠える。「わたし、こんなに家事嫌いなのに。／向いてないのに。／それがわたしの任務だなんて。／家事しかすることがないなんて。／うわぁあああああああ！／騙された！／わたし騙された！／騙されてた!!」そんな絶望に、ひかりが出したしなやかな答えがいい。

貫井徳郎（ぬくいとくろう）さんの『**崩れる　結婚にまつわる八つの風景**』は「結婚」をテーマにした八編からなるミステリ短編集。単行本の初版が二〇〇〇年七月と四半世紀近く前にかかわらず、今読んでも古びていない。むしろ、ママ友どうしのマウンティング、ストーカー、DV、公園デビュー、等々、その解析度の高さには驚く。

もちろん、インターネットやSNSなど、今とは社会的な背景は異なるのだが、だからこそ登場人物たちの心情がくっきりと浮かび上がってくる。八編それぞれが読ませるのだが、表題作にもなっている巻頭の一編「崩れる」で描かれる、主人公であり、家事とパート労働で疲弊（ひへい）している芳恵（よしえ）の絶望の深さが胸に刺さる。

足立紳（あだちしん）さんの『**それでも俺は、妻としたい**』で描かれるのは、

『それでも俺は、妻としたい』
足立 紳著／新潮文庫

『崩れる 結婚にまつわる八つの風景』
貫井徳郎著／角川文庫

〝したい〟夫vs.そんなこと真平ごめん、な妻の攻防である。ジャンルとしては「ダメ男小説」でもあるのだが、主人公・豪太の、たとえゴミ扱いされても、妻への愛（性欲も大いにあり）が目減りするどころか増し増しになる腹の太さ（その太さの源は過保護な豪太の母）には、呆れてしまう。だって、豪太、年収五十万なんですよ。どの口が言う？　というか、そんな分際で、どうして妻が寝てくれると思えるのか。離婚されないだけでもありがたいと思いやがれ！　と思って読んでいくうちに、妻と〝する〟ことに、ただただひたむきな豪太が、天晴れとさえ思えてくるから、あら不思議。この辺りが、作者の足立さんの巧さだ。

奥田英朗さんの**『我が家の問題』**は、六編からなる短編集で、こちらもジャンルとしては「家族小説」になるのだけど、夫婦のドラマが丁寧に描かれているので、一読をお勧め。家に帰りたくなくなった新婚の夫の心理を描いた「甘い生活？」。夫が会社でちょっとお荷物的な存在になっていることを知ってしまった妻の奮闘を描いた「ハズバンド」。突然、「UFOが、おれを見守ってくれてるんだよね」と言い出した夫を救うために、妻がとった

『我が家の問題』
奥田英朗著／集英社文庫

〝作戦〟を描いた「夫とUFO」。

まさにタイトル通り、それぞれの家の「我が家の問題」が、時にユーモラスに、時にじんわりと読ませる。本書は、『家日和(いえびより)』(こちらもお勧めです!)と対になる短編集なのだが、ロハスにハマる妻と、それにげんなりしていた小説家の夫(「妻と玄米ご飯」)のその後が「妻とマラソン」に描かれています。

契約解消! ドラマティックな離婚劇

さて、「結婚」は「契約」だと思っていると書きましたが、「契約」だからこそ、「解消」があるわけで、それが「離婚」である。

千早茜(ちはやあかね)さんの『マリエ』は、四十歳を前に離婚した桐原(きりはら)まりえが主人公。離婚そのものよりも、離婚後のまりえのあらたな生き方に焦点(しょうてん)を合わせた物語だ。離婚といえば、ともすればネガティブなイメージに傾(かたむ)きがちだが、本書では、むしろ、主人公のまりえを、新たに解放する自由への切符のように描かれていて、そこがいい。離婚後のまりえが、ひょんなことから結婚相談所に

『マリエ』
千早 茜著/文藝春秋

登録したその顚末も、思いがけなく訪れた新しい恋の行方も、まりえの〝芯〟に、自らの自由に対する希求があるからこそ、読み手の胸に自然にすとんと落ちてくる。

物語の中には印象的なシーンがたくさんあるのだが、とりわけ、同じ結婚相談所に登録していて親しくなった年下の香織が、介護をしている母親との同居を結婚の条件にしていることを、まりえが知ったくだり。その条件ゆえに、香織の「婚活」が難しいと聞いて、まりえは言う。「親の面倒を見ている女性は結婚できないってことですか？（略）男性は自分の家の事情を押し付けても良くて、女性は駄目なんですか？」「でも、おかしいですよね。そもそも、足りないものを埋めるために相手を探すのが間違ってませんか」まりえのこの言葉の真っ当さが、今の今、「婚活」に一喜一憂している彼ら、彼女らに届きますように、と思う。

最後は、壮絶な「離婚」を描いた、鈴木マキコさんの『**おめでたい女**』を。タイトルの「おめでたい女」というのは、主人公の「わたし」であり、作者自身でもある。そう、本書は私小説なの

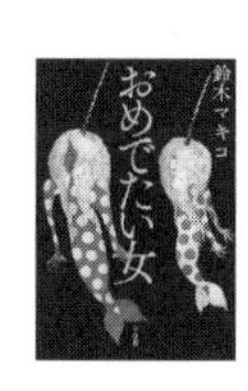

『おめでたい女』
鈴木マキコ著／小学館

だ。映画監督である男性＝荒戸源次郎氏と二十五年間連れ添い、そのうちの七年は婚姻関係にあった、会社員である「わたし」。いわゆる〝人たらし〟である夫は、しかし「わたし」にとっては、出産費用を勝手に使い果たしていた穀潰しであり、息子の学費や家族の再出発のためにと工面したお金にさえ手をつけた自分勝手な男だった。

　これ、読めば読むほど、なぜもっと早く離婚しなかったのか、と思ってしまうのだけど、逆に言えば、離婚しなかったことが、「わたし」の背骨だったようにも思える。徹頭徹尾「ダメ男」として描かれる夫だが、そんな「ダメ男」を何度も突き放そうとして、突き放せなかったのは、愛なのか、執着なのか、それとももっと別の、夫婦の間でしか了解しようのない何かなのか。息子と娘、二人の子どもにとっては父親であるその人のことを、ここまで書かねばならなかった作者の心を痛ましく思う。同時に、こんなふうに書くことで、前に進もうとしたのかもしれない、とも。離婚とそこにいたるまでの修羅を余すところなく描いた一冊で、逆の意味で「結婚」を知るための一冊でもあると思う。

PHP研究所の

結婚にまつわる小説傑作選

美味しい料理と名物女将が「婚活」の悩みを解決！

「婚活食堂」シリーズ　山口恵以子著

東京・四谷で女将の恵（めぐみ）が切り盛りする「めぐみ食堂」。かつて人気占い師だった恵は、常連客の“男女の縁”が見えるようになる。常連客が持ち込んでくる結婚相談所や婚活パーティー、マッチングアプリを巡る問題などを、美味しい料理と不思議な力で解決する人気シリーズ。

略奪婚、歳の差婚、毒親……ワケあり結婚式はお任せあれ

『アンハッピー・ウエディング 結婚の神様』

櫛木理宇著

ひょんなことから結婚式場の「サクラ」のバイトをすることになった咲希（さき）。だが代理出席する結婚式は不穏なものばかりで……？　ワケありな結婚式にまつわる謎に挑戦する、ラブ＆サスペンス！

復讐のために結婚した女の行く末は――

『灼熱』　秋吉理香子著

医者である英雄と一見、幸せな新婚生活を送る絵里。しかし彼女の本当の名前は咲花子といい、結婚の目的は英雄が元夫を殺した証拠を探すことだった。
顔も名前も変えて復讐に挑む女×結婚を描いたサスペンスミステリー！

婚約者に冷たく拒絶される菖蒲。彼女の想いは叶うのか!?

「京都　梅咲菖蒲の嫁ぎ先」シリーズ

望月麻衣著

梅咲家の令嬢・菖蒲は幼い頃、許婚として紹介された桜小路立夏に一目惚れする。立夏を一途に思い続け、十五歳で婚姻の準備のため、東京から桜小路家へ越してきた菖蒲だったが、再会した彼は冷たくて――菖蒲のピュアな恋と四神の力によるアクションも楽しい和風ファンタジー。

「普通の夫婦」っていったい何!?

『セクシャル・ルールズ』　坂井希久子著

社労士事務所を経営する「大黒柱妻」の麻衣子（まいこ）と、会社を辞め育児に邁進する「専業主夫」の耀太（ようた）。家庭での役割を分担していた二人だったが、周囲の不理解や生活のすれ違いから離婚することに――。世間の価値観とのギャップに振り回される夫婦を描く感動の長編小説。

夫婦で描いた夢のその先は

『朝星夜星』　朝井まかて著

長崎で日本初の洋食屋〈自由亭〉をオープンした料理人・草野丈吉（くさのじょうきち）と妻のゆき。多くの賓客をもてなした丈吉たちは大阪へ進出し、レストランとホテルを開業するが……。様々な困難を二人三脚で乗り越え、共に夢を掴み取った夫婦の姿を活き活きと描いた傑作歴史長編。

3

雪美の在籍を英語で尋ねてきた男がいる。たちまち郡山の中で二つの違和感が湧いた。一つは雪美の動静を窺う者がいたこと。そしてもう一つは、それが外国人らしいという事実だ。いずれも生前の彼女からは想像できない話だった。

「その電話の主ですが」

冴子の続く質問は、郡山の違和感を払拭しようとしていた。

「本当に外国人だったのですか。日本人が英語を喋っていたようには聞こえませんでしたか」

「わたし、英会話に堪能な方じゃありませんけど、流暢な英語に聞こえました。ネイティブかどうかまでは聞き分けできませんけど」

「小湊さんに外国人の知り合いはいましたか」

「いいえ。本人からそういう話を聞いたことは一度もなかったと思います」

冴子は郡山に目配せをする。お前は知っていたかという問い掛けに、郡山は首を横に振る。

「捜査へのご協力、ありがとうございました」

冴子は軽く一礼すると郡山とともに千葉中央総合病院を出た。

郡山は捜査本部の置かれた中央署にパトカーを向けながら、頭では雪美を追う外国人の素性(すじょう)に考えを巡らせていた。

「郡山」

不意に助手席の冴子が声を掛けてきた。

「大丈夫か」

「何がですか」

「注意力散漫だ。今、信号が赤になる直前だった。普段のお前なら停止しているところだ」

まるで気づかなかった。

「運転、代わるぞ」

「いえっ、大丈夫ですから」

「それなら今、夢中になって考えていたことを言ってみろ」

「意外だったんですよ」

「顔見知りのはずの隣人が外国人に監視されていたことか」

「職場での顔も知りませんでした。まあ、当然と言えば当然ですけど」

「職場以外に、小湊さんが加わっていたコミュニティを知らないか。ママ友とか、SNSでの繋がりとか」

「母親は仕事を終えると家に直帰していました。休日も娘にかかりっきりだったので、彼女が職場以外のグループに入っていたとは聞いていません」

「本人が所持していたスマホは鑑識が分析している。中身を覗けば、また違う手掛かりが得られるかもしれないな。アドレスに外国人の名前があれば、追跡もできる」

もっともな話だが、それには鑑識の報告を待たなくてはならない。郡山はとても指を咥えて待つ気にはなれなかった。

「しばらく鑑取りの対象がなければ、鑑識作業を手伝ってきていいですか」

すると冴子は露骨に顔を顰めた。

「変に首を突っ込んでも、鑑識の邪魔になるだけだぞ」

「弾丸さえ発見できれば犯人を確実に絞り込めます」

「焦るな」

冴子は短く言い放つ。叱責が長くないのも、この上司の美点だ。

「私情を挟まず、普段通りの捜査をするんじゃないのか」

「普段と同じですよ。有力な物的証拠がなければ自分で摑んでくるのが高頭班の真骨頂でしょう」

「ふん」

冴子は半ば諦めたような息を吐いた。

「そこまで言うのなら、何か摑んでくるまで戻ってくるな」

「了解」

冴子は現場近くで運転を代わり、郡山を降ろすと自分は捜査本部に向かった。郡山は小さくなっていくテールランプに一礼すると、今なお鑑識が粘っている公園に

前回までのあらすじ

千葉県警刑事部捜査一課、高頭冴子班に所属する郡山は、マンションの隣室に住む小湊雪美・真央と交流を深めていた。しかし、近隣の公園で小湊母娘が遺体となって発見されてしまう。穏やかに暮らしていた母娘の命を奪った犯人はいったい誰か。復讐に燃える郡山は、捜査の中で、雪美の職場に男性から英語で電話があったと知り……。

直行する。

「あれ、郡山さん。何か忘れ物ですか」

早速、戸倉に見咎められた。

「弾丸、見つかりましたか。まだなら手伝わせてください」

「ええー」

冴子ほど露骨ではないにしろ、戸倉たち鑑識係がいい顔をしないのは折り込み済みだ。

「あんたたちの邪魔はしない。跳弾なら公園の外まで飛んでいるかもしれない。この人数じゃ、公園内を探すのに手一杯だろう」

「郡山さん、鑑識の経験ありますか」

「高頭班長の下で働いているんですよ。掃除から格闘までフルコースです」

「じゃあ、細心の注意を払ってくださいよ」

戸倉はヘアキャップと足に被せるビニールカバーを投げて寄越した。郡山は慣れない手つきで装着する。

「落ちていた薬莢の形状から使用されたのは19㎜弾と推定されます」

「中長距離用か」

すると犯人は中長距離用の弾を至近距離から発射していることになる。中長距離用の銃はおしなべて発射時の反動が小さくなるように設計されている。それをわざわざ至近距離から狙撃したとなると、犯人の並々ならぬ悪意を感じてならない。

母娘をただ狙撃するだけではなく、目の前で血の花が咲くのを見ずにはいられなかったのか。それとも苦悶の表情を目に焼き付けたかったのか。いずれにしろ冷酷な犯人であるのは間違いない。

またもやふつふつと怒りが込み上げてくるが、必死に抑えて公園横の歩道に這いつくばる。

戸倉に告げた通り、郡山にも多少は鑑識の覚えがある。自身の毛髪や体液、足跡を残さぬよう、対象範囲を碁盤の目状に進んでいく。残留物があれば残らず採取してポリ袋に納めていく。

五月の陽気が全身に照り付けるが、汗の雫を落とす訳にはいかない。ハンカチでこまめに拭き取りながら這い進む。作業服ではないので膝が擦れるが構ってはいられない。

弾丸はどこだ。

他に犯人が残したものはないか。

警察官としての意識はもちろんだが、郡山を突き動かしているのは復讐心の方が大きい。冴子には申し訳ないと思うものの、自分の気持ちに嘘は通じない。

誰が何と言おうが、これは俺の事件だ。

俺が犯人に手錠を嵌めてやる。

時として執念は空回りするが、狙いどころさえ間違えなければ多大な推進力になり得る。郡山は己の信念が冴子たちと同じベクトルを向いていると信じながら、黙々と地面を這いずり回る。

一時間以上は経過しただろうか、そろそろ朦朧とし始めた郡山は街路樹の幹に奇妙な穴を見つけた。

まだ新しい、ほぼ正面から穿たれた穴。ペンライトの光を当ててみると、奥で反射するものがあった。

これだ。

「来てくれえ」

声に反応して数人の鑑識係が集まってくる。中にいた戸倉が注意深く穴を穿る。慎重な指先が見ている者たちの期待を高めていく。

孔に射し込まれたピンセットがそろそろと黄銅色の物体を摘まみ出す。

それは先頭部がひしゃげた弾丸に相違なかった。

「ビンゴですよ、郡山さん。これは9×19㎜のパラベラム弾だ」

パラベラム弾はＤＷＭ（ドイツ武器弾薬工業）が開発した拳銃用のカートリッジ

で、弾体直径が9㎜、薬莢の長さが19㎜であることから9×19とも表示される。世界で最も広く使用されている弾薬で、現在、世界中に普及する自動拳銃および短機関銃用弾薬の主流と言っても過言ではない。

郡山は弾丸を仔細に見つめる。表面にはくっきりと線条痕が刻まれている。線条痕は言わば拳銃の指紋だ。線条痕と一致するライフリングを持つ銃はこの世に一丁しかない。

戸倉が弾丸をポリ袋に入れると、公園内で採取作業に当たっていた鑑識係からも声が上がった。

「こっちもあったぞー」

彼がピンセットで摘まみ上げた弾丸も、やはり9×19㎜のパラベラム弾だった。これで小湊母娘の命を奪ったのが同じ銃であることが証明された。

「射入角度を考えると、母親の身体を貫通した銃弾が公園脇の街路樹まで飛んだのでしょうね。よく見つけてくれました」

労いの言葉でほんの少しだけ報われたような気分になる。だが、まだ銃の特定までには至っていない。

「戸倉さん。パラベラム弾を使用する拳銃は何種類あるんだ」

「最も普及している弾丸の一つですからね。使用銃も多岐に亘りますよ。すぐに思いつくものでもグロック17、コルト9㎜SMG、FNブローニング、ニューナンブ、S&W、ベレッタ、ワルサー等々。ただし、日本国内に限定すればSIG SAUERが圧倒的多数でしょうね」

「特別な事情でもあるんですか」

「米軍の軍用モデルに採用されているのがSIG SAUER(シグザウエル) P320だからですよ。在日米軍は総数約五万五千人、兵士一人に一丁ずつとしても五万五千丁のSIG SAUER P320が国内に持ち込まれている計算になります」

五万五千丁という数字に、郡山は眩暈(めまい)を覚えそうになる。


司法解剖の結果は、その日の夕刻に報告が上がってきた。

「二人の死因は母親が臓器損傷、娘さんは脳幹損傷だった」

冴子が差し出した解剖報告書に目を通す。報告によれば雪美の心臓を貫通した弾丸は彼女の心膜を損傷、胸腔(きょうくう)が一杯になるまで出血していた。真央(まお)の頭骨は複雑骨折の状態であり、頭部単純X線上には弾丸の細かな破片が散乱していたらしい。〈県警のアマゾネス〉などという二つ名を持つ冴子の下で働いていると、郡山自身も暴力の洗礼を受けることが多々ある。流血はしょっちゅうで骨折も珍しくない。だが臓器損傷や脳幹損傷となると、衝撃や痛みは想像すらできない。二人が即死であったのをせめてもの救いという者もいるが、郡山は到底同意できない。

痛いに決まっている。

苦しくないはずがないではないか。

「射入角度から犯人のおおよその身長が割り出されている。百七十五から百八十センチの間だそうだ。現場からは二十八センチの下足痕も確認されている。身長百八十センチならドンピシャだろう」

「結構な高身長ですね」

口に出してから、冴子が不機嫌そうにしているのに気づいた。

「百七十五から百八十センチなら、ほぼわたしと同じ背丈になる」

なるほど、それが気に食わない理由という訳か。普段は己の容姿など歯牙にもかけない風の上司だったので、この反応は少し新鮮だった。

「この身長だと街中でも結構目立つらしい」

「そうでしょうね」

「敢えて強調してくれなくていい。とにかく人目につくのは事実だから、目撃証言に期待できる。所轄も交えて地取りを増員する」

断定口調なのは、既に冴子が刑事部長に上申して承諾を得たからに相違ない。

「自分も訊き込みしますよ」

有難い。

冴子はにこりともせず言う。表明せずとも気心が知れている関係はこういう時に
「色々と条件が揃ってきた感があります。ただ地取りするだけではなく対象を絞り込めます」

「待て」

冴子はすぐに聞き咎める。気心の知れた上司はこういう時が面倒だ。

「条件云々（うんぬん）と言ったな」

「英語で質問してきた男、パラベラム弾、そして高身長。否が応でも在日米軍の兵士を連想する」

「班長もですか」

「先入観は禁物だ」

冴子は言下に命じる。

「在日米軍はアンタッチャブル（不可触）だからですか」

「捜査対象として限定するには早計過ぎるからだ。ネイティブな英語を話すからと言ってアメリカ人とは限らない。パラベラム弾が採取できたとしても使用された銃がＳＩＧ ＳＡＵＥＲ Ｐ３２０とは限らない。仮にＳＩＧ ＳＡＵＥＲ Ｐ３２０が

使用されたとしても持ち主が米兵とは限らない。高身長だからと言って外国人とは限らない。現時点で容疑者を米兵に絞るのは短絡的だと言っている」

　郡山は頭を掻く。冴子の指摘はもっともであり、焦りが短絡的思考に結びついたと言われれば返す言葉もない。

「在日米軍が扱いづらいというのは否定しない。あいつらは基地と日米同盟に護られている。多少の狼藉は不問に付されると日本の警察をナメているフシもある」

　千葉県内に米軍の専用施設はないものの、木更津飛行場が空自との共同利用施設となっている関係で米兵が存在している。彼らによる小さな迷惑行為は捜査一課の耳にも届いている。

「ただし扱いづらいというだけだ。決してアンタッチャブルじゃない」

　不敵に言い放つ冴子を見て、ああ彼女はこういう上司だったと今更ながらに思い知る。違法行為を犯した者は、たとえそれが上司であろうが中国共産党であろうが構わず手錠を掛けにいく。冴子の前では肩書も権威も色褪せる。

　高頭班に配属された者は災難だと揶揄する捜査員がいるが、少なくとも自分は僥倖だったと郡山は思う。

　報告書を書き上げてから自宅マンションに戻ると、宅配ボックスに荷物が届いていた。ひと抱えもある大きさに違和感を覚えたが、差出人が紳士服のブランドショップだったので合点がいった。真央の授業参観用に誂えたスーツが到着していたのだ。

胸に下りていた澱が不意に重さを増す。いっそ、このまま荷物をゴミ集積所に捨ててしまおうかとも考えたが、管理人が分別に手間取りそうなので仕方なく脇に抱えた。

部屋に入り、包みをテーブルに置く。返品することも考えたが郡山の体型に合わせたオーダーメイドであるのを思い出して断念した。

どうせ返品が利かないのならと包みを開けてみる。新品の服の匂いが鼻腔をくすぐる。取り出してみると、当然ながら自分の身体に合わせた作りで具合もよさそうだ。

一応、腕を通すくらいはしてみるか。

よれよれの上着を脱ぎ、新品のジャケットを羽織る。

その途端、抑えていた感情が込み上げてきた。

おろしたてのスーツを見て真央がどんな感想を口にするのか。

真央から話を聞いた雪美がどんな反応を示すのか。

採寸は二人の顔を想像しながらの作業だった。自分の服なのに、自分の買い物をしている感覚がなかった。

空虚感の大きさで、改めて失われたものの大切さが身に染みる。涙こそ出ないが、心が悲鳴を上げそうになる。

郡山はジャケットを着たまま、その場に座り込んだ。

二人とも待っていてくれ。

犯人はすぐに捕まえてやる。

4

早速、次の日から郡山は地取りに参加した。県警捜査一課の人間が地取りをすると聞いて所轄の刑事たちは意外そうな反応を見せたが、知ったことではない。

小湊母娘の行動範囲はひどく限られていた。具体的に言えば、自宅マンションと千葉中央総合病院、そして大型スーパーのある駅前の三カ所を結ぶ三角地帯の中に収まる。現に死体発見現場となった公園も、この三角地帯内に位置している。

だが限られた区域内と言ってもほぼ二街区はあろうという広さだ。地取りに人員を割くとしても無尽蔵に増やす訳にもいかない。結局は靴底を擦り減らすのが常道だ。冴子はエリアを二十に振り分け、各々を二人一組で当たらせた。

郡山と組んだのは中央署の澄田（すみだ）という若い捜査員で、良くも悪くも明け透（あす）けな男だった。

「どうしてまた本部の一課が地取りなんてするんですか。こういう地味な仕事は俺たちに任せてくれればいいのに」

「そういう訳にはいかない。現状、犯人を特定する物証は弾丸と推定身長だけだ。目撃証言を集めて解像度を上げていく必要がある。そのためなら本部も所轄も関係ない」

「高頭班の噂は俺たちの耳にも届いています」

澄田は好奇心を隠せない様子で話し掛けてくる。

「捜査一課きっての武闘集団で、組対五課と対等にやり合うって」

「武闘集団が地味な捜査をするのは似合わないか」

「そうは言いませんけど」

「いつも力ずくで解決している訳じゃない。いくら逮捕したところで、送検後に公判を維持できなきゃ意味がないだろう」

「いつもってことは、たまに力ずくで解決する事件もあるって意味ですか」

「無駄口叩いている暇はない」

釘を刺してから、郡山は澄田とともに訊き込みを始める。雪美と真央の写真を手に、二人が背の高い人物と一緒にいるところを見たことはないかと訊き回る。

雪美は定時で帰る日が多かったから、自ずと真央と一緒に出歩く時間帯は一定している。従って目撃される機会も多かったのではないかと期待していた。

だが、現実はしばしば期待を裏切る。自宅マンションを起点に訊き込みを始めたものの、小湊母娘と接点のある住民は少なく成果は捗々しくない。母娘の顔を見知った者も道すがら会う機会はほとんどなかったのだ。

「会えば挨拶する程度だったし」

「すみません。俺、ほとんど外出したことがないんで」

「え。このマンションに住んでたんですか。近くの公園で事件があったのはニュースを見て驚いていたんですけど、まさかここの住人だったなんて」

「すみません。全然知りません」

元々、目撃者捜しは干し草の山から針を探すようなものだ。郡山もそれは熟知しているはずだったが、この事件に関してはじれったさが募る。

「二人についての話なら何でも構いません」

「身長が百七十五センチから百八十センチの男です。見かけませんでしたか」

「クルマのバックファイヤーみたいな音を聞きませんでしたか」

マンションの部屋を片っ端から潰していくが、有用な目撃情報は遂に得られなかった。七十七世帯のうち五十八世帯を回ると、上着の下は汗だくとなった。

「どっかで昼休憩に入りませんか」

先に音(ね)を上げたのは澄田だった。郡山は仕方なく、近くの喫茶店に連れていった。

「郡山さんはこの辺りの地理に詳しいんですね」

「さっきのマンションに住んでいた」

「何だ、お膝元ですか。ひょっとして小湊母娘を知っていたりして」

「隣同士だ」

澄田は口に含んでいたパスタを噴き出しそうになった。

「ちょっ、先に言ってくださいよ。それ、本部には報告しているんですか」

「報告済みだ」

「小湊母娘と懇意(こんい)だったんですか」

既に詳細は冴子に伝えてある。余分な情報を澄田にまで開示する必要はないだろう。

「澄田くんは一人住まいか」

「ええ。単身ですけど官舎はあまり居心地がよくなくて。署から電車で三十分のマンションに部屋を借りてます」

「隣人の個人情報をどれくらい把握している」

「いやあ、会えば挨拶する程度ですから家族構成とか勤め先とかは、さっぱり分かりません」

「似たようなものだ」

「はあ」

「たかが隣人、されど隣人だ。袖触れ合うも他生の縁と言うしな。普段よりも固執しているのは否定しない。君だってそうだろ。隣人が殺されたら、通常の事件と同列に扱えるか」

澄田はしばらく咀嚼していたが、音を立てて呑み込むと身を乗り出した。

「『袖触れ合うも他生の縁』。いいですね、俺も同感です」

下校時間近くになると、郡山は真央の通学路沿いで訊き込みを再開した。真央の学校は集団下校を実践しており、集合場所には他の児童の保護者たちも集まるので証言も得られやすいと考えたのだ。

果たして小湊母娘を知る母親が数人いた。

「小湊さんの事件は学校でも説明会がありました。それで今日からは副担任の先生たちが随行しているんですよ」

「とても娘さん思いのお母さんでしたよ」

「話すことは、大抵学校の様子だとか先生の教え方だとか。そう言えば小湊さん、自分ん家の家庭事情はあまり話さなかったわねえ」

「こう言っちゃうと何だけど、あまりママ友を作る人じゃなかったみたいです」

どれも郡山が事前に知っていた話ばかりで、これといった収穫はない。だが十五人目に会った、石室友里という母親が耳寄りな情報をもたらしてくれた。

「先月だったかしら。買い物途中、小湊さんたちが外国人の男性に絡まれているのを見かけました」

「本当ですか」

澄田が意気込んで畳み掛けようとするのを、郡山が片手で制する。

「場所はどの辺りでしたか」

「千葉医療センターの近くです」

自宅マンションから駅前に向かう中間地点だ。

「どんな男でしたか」

「身長は百八十センチあったと思います。がっしりとした体格で、小湊さんと話す時はこう、見下ろすような感じで」

「何を話していましたか」

「道路の向かい側だったので話の中身までは聞こえませんでした。だけど小湊さんは迷惑そうに顔を顰めていて、ガイジンさんの制止を振り切って逃げるようにして立ち去っていったんです」

「それからどうなりました」

「それっきりですよ。ガイジンさんも追うのを諦めた様子で逆の方に帰っていきましたから」

「具体的にはどこの国の人間でしたか」

「白人でしたね。金髪で白っぽい肌をしていました。瞳の色まではちょっと分かりません」

「もう一度会えば、その人物と判別できますか」

友里はしばらく考え込んでから首を縦に振る。

「多分、分かると思います」

「お手数をかけますが、署までご同行いただけませんか。その男性の似顔絵を作成したいのです」

「小湊さん親子を殺した犯人を捕まえるためなら、何だって協力します」

「頼む」

澄田に友里を託して捜査本部に向かわせると、郡山は千葉医療センターへと急行する。友里から詳細を聞き、小湊母娘が白人男性に絡まれていたという場所は見当がついている。病院は表通りに面しており、防犯カメラが設置されていたはずだ。運が良ければ友里の目撃した白人男性が映っているかもしれない。

落ち着け。

郡山は自制していたが興奮を抑えきれなかった。白人男性が小湊母娘に絡んでいたというのは、とびきり有用な情報だ。もし防犯カメラに姿が映っていれば人物を特定できる。運がよければリレー方式で行方を追うのも可能だ。

現場に到着すると、果たして街灯近くに防犯カメラが設置されている。そこだけではない。近辺にはドラッグストアやコンビニエンスストアもあり、店舗備え付けの防犯カメラに白人男性が映っているのも期待できる。早速、郡山は各店舗を回り捜査への協力を申し入れる。幸い、どの店のオーナーも小湊母娘の事件を見聞きしており全面的な協力を約束してくれた。

捜査本部に取って返すと、ちょうど友里が似顔絵捜査官と話している最中だった。

「今、似顔絵ができたところです」

似顔絵捜査官は数枚のスケッチを掲げてみせる。どれも特徴的な絵で、友里の証言内容を反映したらしき痕跡がある。

「ご苦労様です。捜査の助けになります。石室さん、実は似顔絵作成以外にもお願いしたいことができました」

　事情を説明し、友里には後日に再び協力してもらうよう頼み込んだ。

　捜査一課同様、鑑識課も常に複数の事件を担当している。事件に優劣はなく、発生順に作業を進めているのが現状と聞き及んでいるが、郡山はとても待つ気にはなれなかった。

「最優先、ですか」

　郡山の要望を聞いた戸倉は困惑顔で頭を掻いた後、渋々といった体で承諾した。

「他の班には話を通してあるんですね」

「もちろん」

　嘘だった。

　いくら冴子が豪腕であっても、そうそう彼女のわがままが通るほど捜査一課は緩くない。

「素材だ」

　郡山は各店舗から掻き集めた素材を渡す。先月からの記録なので収録されているデータは膨大で、しかも白人男性が映っているかどうかの確証もない。それでも戸倉は黙って素材を受け取った。

翌日、戸倉から呼ばれた郡山は冴子を伴(ともな)って鑑識課のラボに赴(おもむ)いた。

「映っていましたよ」

戸倉はモニターの一つを指し示す。画面には小湊母娘に話し掛ける白人男性の姿が映っていた。

「拡大してくれ」

見る間に画面が拡大し、かつ高精細になっていく。

友里の証言通りだった。金髪で精悍(せいかん)な顔立ちをしている。身長は冴子と同等、筋肉質であるのが服の上からでも分かる。鍛えているのは仕事柄なのか、それとも趣味か。いずれにしても人目を引く風貌(ふうぼう)であるのは間違いない。

こいつが犯人なのか。

郡山は写真がなくても判別できるよう、男の顔を目蓋(まぶた)に焼きつける。

すぐ友里に出頭してもらい、男の写真を見てもらう。

「そうそう、この男この男。ちゃんとあの場面が撮れてたんですね」

友里の確認も取れ、写真の主が小湊母娘に絡んでいた事実が立証できた。だが問題はその先だった。リレー方式で男の行方を追跡しようと試みたが、その消息は駅に向かう途中で消えていたのだ。

「分析には顔認証システムを採用していますから、一度データ化した人物を見逃すはずがありません。この白人男性は駅には向かわず、おそらくクルマで立ち去ったものと思われます」

「ご苦労様」

冴子は礼を告げて鑑識課のラボを後にする。郡山は聞き足りなかったが、冴子に従うより他にない。

「待ってください、班長」

「防犯カメラの件、他の班に根回しして最優先で分析させたんだってな」

「その件は謝ります」

「鑑識が何人か徹夜してくれたらしい。後はこっちでやる」

「しかし男の顔が分かったたけじゃ」

「使用されたのがパラベラム弾であることから在日米軍の可能性が否定できない。そうだったな。どんなに小さな可能性でも一つずつ潰していく。捜査の常道だろう」

「それはそうですが、こちらには在日米軍の名簿どころか部隊構成すら資料がありませんよ」

「木更津駐屯地に常駐している米兵が軽微な悪さをしたのを憶(おぼ)えているか」

「ええ。微罪だから所轄も敢えて立件しようとはしませんでしたね」

「現行犯でなくても構わん。任意で引っ張る」

いかにも冴子らしいと思ったが、相手が相手なので郡山も慎重にならざるを得ない。

「在日米軍がしゃしゃり出てきたらどうしますか」

「出てくるまでに訊きたいことを訊けばいい。その後の話はまたその後だ」

こういう言動が高頭班を武闘集団と思わせている所以なのだろう。郡山はひと言差し挟みたくなったが、結局は口にしなかった。


取調室のロイ・ヘイワード空軍一等兵は、わずかに困惑した表情を浮かべていた。

「日本の警察が何故ワタシを出頭させたのか」

千葉県は外国人が多く住まう場所なので、いきおい捜査員たちも語学力が身につく。通訳を介しての尋問ではあるが、郡山も大方の内容は理解できる。

ロイは尋問役が冴子であることで油断しているようだったが、その方がこちらは助かる。郡山は記録用のパソコンを前に冴子とロイの尋問に耳を傾ける。

「あなたには器物損壊の容疑が掛かっている」

「器物損壊。ノー、全く記憶にないです」

「今年の二月十四日、木更津市吾妻公園近くのバー〈グレタ・ガルボ〉で泥酔した挙句、店内の装飾品を破壊した。ランプ一個、グラス二個。止めに入ったバーテンダーを殴りもした。こちらは全治一週間。店からは被害届とバーテンダーの診断書が提出されている」

「二月なんて三カ月も前の話じゃないか」

「三カ月で時効になるような罪は、少なくともこの国にはない。あなたが乱暴を働いた場面には証人もいる」

「しかし三カ月前の騒ぎを今更警察沙汰にするなんて、寝ぼけてやしないか」

「騒ぎじゃない。犯罪だ。ついでに説明すると、器物損壊罪の公訴時効は三年だ」

「モノを壊した程度で日本の警察は動かないと聞いた」

　ロイの言葉にも一理ある。器物損壊罪は比較的軽微な犯罪類型であり、同罪で逮捕されたとしても初犯なら執行猶予つき判決の対象となり、いきなり実刑を食らう可能性が小さいためだ。

　だが冴子の尋問は容赦なかった。

「器物損壊罪の法定刑は三年以下の懲役または三十万円以下の罰金、過料だ」

　俄にロイの口が重くなる。

「弁護士を呼んでくれないか。さもなければ上官に連絡させてくれ」

「上官に連絡するのは一向に構わないが、たかが一等兵の分際で駐屯地の地域住民に迷惑を掛けた挙句、警察の世話になっている事実をどう言い繕うつもりだ。三年以下の懲役または三十万円以下の罰金、過料よりも、上官からのお咎めの方が数段キツいかもしれないぞ」

途端にロイの顔色が変わる。よほど上官の叱責が恐いらしい。初手から相手の弱みを見つけた冴子の完勝だった。

「そう言えば、アメリカでは司法取引が当たり前に行われているんだったな」

「軍の機密を話せと言うのか。汚いぞ、人をこんな微罪で引っ張っておいて」

「軍の機密なんて大層なものは要らん」

冴子はプリントアウトした件の白人男性の顔写真を差し出した。

「この男を知っているか」

ロイは不承不承、写真に視線を落とす。その目が大きく見開かれたのを郡山は見逃さなかった。正面で対峙していた冴子は尚更だろう。

「知っているようだな」

「彼が何かしたのか」

「訊いているのはこちらだ」

ロイは不貞腐れたように唇を尖らせた。

「彼が何者なのかを答えたら、ワタシの罪は見逃してくれるのか」

「考慮しよう」

郡山は息を詰める。小湊母娘に絡んでいた白人の正体が告げられた瞬間だ。

「有名人だよ。名前はスチュアート・ヒギンス」

「木更津駐屯地の仲間か」

「ノー。第5空軍ヨコタベース所属、階級は曹長だ」

「どうして彼が有名人なんだ。どこかの戦地で武勲でも立てたのか」

「exploits（武勲）？　ノー、『parents' coattails』さ」

parents' coattails。直訳すれば『親のコートの裾』。日本語では親の七光といった意味合いだ。

「彼の親は中将だ。彼自身も空軍のエリート街道を歩いている」

中将と言えば空軍元帥、大将に続くナンバー3ではないか。

冴子がちらりとこちらを見る。

獲物を見つけた目ではない。

獲物が予想外に大物だった時に警戒する目だった。

〈つづく〉

汚名

伊東玄朴伝③

和田はつ子

Wada Hatsuko

第二章　出会い

一

佐賀藩主鍋島斉正（なべしまなりまさ）の侍医（じい）に任じられた玄朴（げんぼく）は、江戸留守居役に連れられて江戸詰めの藩士たちに挨拶（あいさつ）に回った。師走の任命だったので忙しくはあったが、玄朴はむしろそれを幸いだと感じた。誰もが、シーボルト事件に関わった玄朴に対してあからさまに冷淡だったからである。それを受ける玄朴は〝ならば、こちらはもっと冷めて割り切ってやろう〟と、相手に頭を垂れつつも心は薄ら笑いで充たした。〝わたしの良心を食い千切らんばかりに苛み続けた義兄源三郎の怨念を退けられたのだから、できぬはずはない〟。

「殿はなにゆえ罪人医者を侍医にするのか」

　玄朴の目の前で、はっきりと口にする者もいた。普通なら肩身が狭い思いをして目を伏せたりするのだが、玄朴は相手の目を見て、慇懃無礼な挨拶を繰り返すだけだった。

「仁比山村の百姓同然のくせに生意気だ」

　と陰口を叩かれようとも、媚びることはなかった。もっとも、

「わたくしは、たしかに百姓同然の出自でございますゆえ」

　と言い返すことはあった。心配性の留守居役が見かねて、

「振る舞いに気をつけよ。佐賀者は上下の別に厳しい。分不相応な立場に上る者を、たとえそれが相応な力の持ち主でも徹底的に嫌うのだからな」

　忠告したが、

「わたしが罪人医者だとご存じの殿様から侍医にとご下命賜ったのです。お留守

居役ともあろう方が殿様のご意向に異を唱えられるのか」

やり返して小心者の留守居役を黙らせた。

佐賀藩江戸屋敷に住まう藩主の正室盛姫への挨拶が最後になった。玄朴を快く思っていない江戸の重臣たちが、盛姫に玄朴を目通りさせることに猛反対していたからであった。重臣の中には、

「盛姫様は将軍家の姫であるぞ。あのような身分の者に高貴なお方のお脈をとらせることなど言語道断。侍医は他にもいる」

主張して憚らない輩もいた。しかし、玄朴の身分の低さを徹頭徹尾攻撃するべく築かれた牙城は意外に脆かった。

ひいた風邪が一月以上治らないせいか、よく眠れないと盛姫が側近に訴えていると知った国許の斉正が、留守居役に宛てて「是非とも風邪に通じた医者に診立てを頼む」と文を寄越してきたからである。玄朴が江戸市中で評判を得ているのは、風邪の治療に秀でていたからであった。正確に言うと風邪と猩紅熱や喉頭炎、喘息、恐るべき馬脾風（ジフテリア）等とを経験知により分別して各々に適した治療ができたのである。

盛姫は将軍家斉の三十番目の子で十八女、年齢は夫斉正より四歳年上の二十二歳であった。盛姫は発熱し喉の痛みを訴えていた。馬脾風では治しようがないと他の

侍医は診立てを固辞した。藩主直々の命である以上、治せなかった場合、首を差し出すことになりかねない。

「誉高いお役目じゃ」

留守居役から命じられた玄朴は、

「身に余る光栄」

恭しく頭を下げた。

――この機会、果たして吉と出るか凶と出るか。馬脾風であったとしたらほぼ助けられない。江戸屋敷の側近たちにも病が及んでいるやもしれぬ。この中の何人かを助けるためには徹底した隔離が要る。たとえ斉正様の御正室とて人を近づけてお世話はさせられない。馬脾風の対策はこの病を広げないことに尽きるのだから。だ

前回までのあらすじ

佐賀の貧しい農家に生まれた玄朴は、通詞猪俣伝次右衛門に阿蘭陀語を教わり、ひいてはシーボルトの弟子になる。しかし、シーボルトの江戸参府に随行する途中、伝次右衛門は暴漢に襲われて、今際の際に玄朴に娘の照を託して亡くなる。江戸に残った玄朴はシーボルト事件に巻き込まれ、義兄源三郎は獄死するものの、玄朴はお咎めなしとなった。その後、玄朴は佐賀藩侍医に取り立てられるのだった。

が必ずしも馬脾風とは診てみなければ言えない――

最悪の診立てを想定した後で玄朴は一縷の望みを抱いて診察に臨んだ。

玄朴は病床の盛姫の首を凝視した。

――馬脾風ではない――

盛姫のためにも自分のためにも安堵した。馬脾風であった場合、首が顔ほどの幅に腫れあがって痛み、とても枕に頭をもたせてなどいられないはずであった。

「奥方様は案じておられる馬脾風ではありません。わたしは以前大流行しかけた馬脾風の患者を診たので断ずることができます」

「そなたのことは留守居役から聞いています。名医だそうですね。わらわの病は何なのでしょう」

布団の上に横たわっている盛姫は物憂そうに返した。

「拝見してもよろしければ――」

玄朴が正座を崩して片足の膝を立てた。これが玄朴が貴賤を問わず、往診患者の近くで診立てをする時の形であった。患者が医者に寄せる信頼と安心感の根拠には、見た目の颯爽とした感じや恰幅の良さも加わると玄朴は心得ていて、痩せた小男の自分をその形で大きく見せようとしていた。中には礼を失するとして眉を寄せる向きもあったが玄朴は改めなかった。

「蘭方ですのでお痛みの場所のお近くまで寄ったり、触れたりいたしますが」

　とさらにいうと、

「殿の思し召しゆえ従います」

　盛姫は診療を受け容れた。

　玄朴はまずは口を開けさせて喉頭を診た。少しの赤みも帯びていない。手首を握って脈を確かめた。健やかであった。いろいろ診察してみて、

「奥方様は蘭方の診立てではどこにもお悪いところはございません。わたしは漢方にも通じております。漢方の診立てでは奥方様のご様子は〝気〟の流れの滞りです。何かご心配事がおありなのではございませんか」

　玄朴が問いかけると、盛姫は拒むかのように黙って目を閉じてしまった。

「〝気〟が滞ると身体が熱を冷ませなくなって、余分な熱が頭に上って全身を疲れさせます。考え事も悩み事もうまくこなせなくなり、不眠の他にも、考え込んだり、怒りっぽくなったり、のぼせや頭痛で発熱したように思え、喉が詰まり、痛むように感じることもあります」

　玄朴はある一定の身分や富裕の患者に見られる、ありがちな不眠の症状について説明した。

「それではわらわは病ではないのですか」

目を開いた盛姫は恥ずかしそうに訊いた。

「いいえ、蘭方の病ではありませんが、漢方の考え方では〝未病〟といううちに入ります。病気になりつつある状態という意味ですが、こうした漢方の未病、不眠を続けているといつか、蘭方、漢方、どちらから診ても重篤な病に進みます。たびたび失礼いたします」

玄朴は断り、相手の肩と首、背中に触れて、

「身体が石のように凝っておられますね。これこそ〝気〟の流れを滞らせている張本人です。こやつを退治するのにお試しいただきたいのは按摩や針医です。おそらくこれらで不眠は良くなります。良い眠りが取れるようになればお元気になられるはずです」

と告げて診察を終わろうとした。

「待ってください」

盛姫はすがるような目を玄朴に向けて、側近たちを人払いし、

「ここでのわらわの務めは殿のお子、世継ぎの男子を産むことです。蘭方の名医なればわらわにその力があるかどうかわかるのではありませんか」

——これはまずい——

玄朴は思った。盛姫は将軍家の姫だけあって見目形が整った美形ではあったが、

何とも小さく華奢(きゃしゃ)であった。特に骨盤の幅が狭い。身籠(みごも)っても子が育ちにくい身体つきであった。

「父将軍のお手付きにはなったものの、子を宿すことができずに悩みに悩んで自害したり、正気を失った側室たちを何人も知っています。わらわはあのようにはなりたくないのです」

　俄然(がぜん)盛姫は多弁になり、きらりとその目を光らせた。

――このように思い詰めている方に今は本当のことは伝えられない――

　玄朴は必死でここを切り抜ける言葉を探して、

「ご懐妊には心身のゆとりが何より大事です。それにはまずはぐっすりと眠られることです。お留守居役様のお許しをいただいて、針医者も兼ねる腕のいい検校(けんぎょう)（按摩）をここへ参らせましょう。それから日々、柴胡加竜骨牡蛎湯(さいこかりゅうこつぼれいとう)を煎(せん)じて飲まれるよう処方いたします。これが〝気〟を巡らせ、身体に籠った熱を冷まし心を落ち着かせて、良き眠りに導いてくれることでしょうから」

　と告げてその場を辞した。

　帰路、玄朴は混乱し、これは何とも手強(てごわ)いとやや怖気(おじけ)づいていた。子を授かりたいというこの手の望みも高位の身分や富裕の女患者に少なくはなかったが、あのように強く思い詰めている相手は初めてで、それが将軍家の姫であり藩主の正室であるという事実は玄朴にとって難関だった。

——これは吉と見えて凶となりかねない——

玄朴はそう警戒しつつもほんの一瞬、盛姫の哀しみに共感していた。

——何とかあのお方に奇跡は起きぬものなのか——

二

それからしばらくして玄朴は、古河藩主土井利位の家老鷹見泉石の屋敷に招かれた。下総古河藩といえば譜代大名の一つで、利位は本家の実子が早世したため、二十五歳で分家から本家の養子となり従五位下主膳正に叙任せられている。土井家は大老だった土井利勝をはじめ養父の利厚は老中を務めていた。

——これは有力な人脈につながるやもしれぬ——

玄朴は茶室で向かい合いながら、湧き上がる期待と興奮を抑えていた。

「風の便りで先生が盛姫様を診られたと聞いて、是非とも一度御挨拶をと思った次第です」

鷹見泉石は切り出した。泉石は盛姫様とは言ったが、佐賀藩主鍋島斉正の御正室様とは言わなかった。あくまでも徳川家の姫との縁を強調している。要は譜代である古河藩の優位を誇示しているのである。

――それならば――

玄朴は勝負に出た。

「御無礼を承知で申し上げます。鷹見様のお声に掠れが感じられます。喉に痛みはございませんか」

自分が馬脾風の名医であることを相手に思い出させようとした。

「ほう――、まさか馬脾風」

泉石は意表を突かれたというよりも不安そのものの顔になった。その日暮らしの者たちは日々の糧を得ることでいっぱいで普段は病のことなど考えもつかない。一方、富や力を持つ者たちがどれほど病を恐れているか、玄朴は熟知していた。病への不安こそ絶対の泣き所であった。病から逃れるためには富を惜しまず、権力を分け与えることさえある――。

「た、たしか、馬脾風とは喉が白く腐って腫れて息が止まる怖ろしい疫病であったな」

年齢を経てもなお叡智に富んだ美丈夫で知られている泉石の顔面に皺が寄って、どっと老けこんで見えた。

「拝見してもよろしいでしょうか」

玄朴は立ち上がって泉石の横に座った。もちろん盛姫の時同様、大仰に片足の膝を立てる。

「お口を大きくお開けください」

泉石は言われた通りに従った。

「多少赤くはなっておりますが白くはございません。大事はございませんよ、どうかご安心ください」

玄朴はこの時だけは極力優しい声を出した。

「今は赤くてもこの先白くなることは、馬脾風に変わることはあるのだろうか」

泉石の声はまだ震えている。

「絶対ないとは申せませんがまあ、ないと思います。ご心配なら赤みを取るお薬を処方いたしましょうか」

玄朴のこの言葉に、

「是非、是非頼む。どうか、これからも喉が痛む時はおいでいただきたい」

と懇願してきた。

――これで再訪の口実ができた――

玄朴は心の中で快哉（かいさい）を叫んだ。

玄朴はかねてから鷹見泉石を知っていた。泉石に翻訳の頼まれごとをしていたのが亡き義兄猪俣（いのまた）源三郎であったからである。泉石は、玄朴が照（てる）を娶（めと）っている以上源三郎との縁も、シーボルト事件との関わりも把握していたはずだった。多弁は墓穴を掘ることにつながるとわかっている。それゆえ、泉石はただの一言もこれらについて触れて来ないのだと玄朴は見抜いていた。

　そして、今の泉石は男も女も老いも若きも、もちろん子どもも罹(かか)る馬脾風への恐れを増幅させて、自身の家族のみならず、

「これは表沙汰にしては困ります。どうかご内密に」

と藩主土井利位の診察をも頼んできた。


　土井利位はおっとりとした気品に満ちた学者肌の人物であった。聡明ではあるのだろうがその矛先(ほこさき)は政(まつりごと)には向いていない。もっとも馬脾風に対する恐れは並々ならぬものがあり、

「そんなものに罹っては、あと少しで完成する研究が台無しになる」

　真顔で言った。研究というのは儒学者にして蘭学者でもある鷹見泉石の協力を得て、二十年にわたって観察している雪の結晶についてのものであった。

　玄朴は巷間で「土井の鷹見か、鷹見の土井か」と言われている理由(わけ)がわかった。幕府の役職である奏者番(そうしゃばん)、寺社奉行を務めているのは実質、利位ではあり得ない。通詞に蘭本を訳させて時代と世界を知り、藩主と古河藩の繁栄のために尽くしてい

る鷹見泉石こそがその人なのだ。全ては泉石が見極めて動くので何の心配もない。利位は泉石に勧められるままに始めた雪の研究をいつしか心の支えにして、幕府の重職の数々を無難に果たしてきたのだ。

雪の観察は自然科学であり、顕微鏡も用いるので蘭学の一端ではある。だが実学ではないし政とも無縁である。それを泉石は幕府に許される無難な趣味として利位に推奨したものと思われた。

――なるほどどこのお家でも、ご当主の異国へと向く目を、こうした害のない研究に逸らして、ご公儀に不審がられないようにしているのだな――

玄朴は藩主たちの間で流行っていた博物学には別の意味があることに気がついた。同時に、我が佐賀藩にも若い藩主を支える家老がいるのだろうかと気になった。

――古賀穀堂様は鷹見泉石様同様、儒学と蘭学にも通じていて、殿様の信任も厚いが年寄相談役であって家老ではない。家老でなければ泉石様のように政を牛耳ることなどできはしない。穀堂様の意見書がどれほど功を奏すものか――

玄朴は自分を侍医に推薦してくれた穀堂と、まだ会ったことのない斉正を密かに案じていた。

国許とやりとりがある江戸留守居役には持病があった。ある時この留守居役に玄

朴は呼ばれた。留守居役は、

「何とかならぬものか」

　脂汗を搔いて腹部の痛みに耐えていた。発熱はないのでまず疫病ではない。ひとまず玄朴は安心した。今までもたびたび起きていたが、主治医の薬が効きづらくなっていて飲んでもあまり効かず、今回は到底おさまりそうになかったので玄朴を呼んだのだと留守居役は呻きながら告げた。

　玄朴は留守居役に昨日何を食べたのか訊いた。留守居役は好物の天ぷらだと言い、堪能した話をした。留守居役の仕事は幕府の勘定方等の奉行たちや他藩の留守居役との交流、要は情報収集が主であった。そのせいで高級料理屋へ誘ったり、誘われたりしてのつきあいが多いのだった。

「それでこの通りだ」

　留守居役は痛むが見事に膨れた腹を叩いて、

「これでも若い頃は痩せておった」と恨めしそうに呟いた。

　玄朴は桔梗、白朮、防風、山椒等が入った散薬を処方した。留守居役は、

「すぐに痛みを止める薬はないのか」

　と附子または阿芙蓉（阿片）を望んだが、

「それでは今までと同じで、繰り返すたびに悪くなります。まずは宴席での摂生が

大事です」

玄朴は言い切った。以来、玄朴は留守居役にも乞われて往診を続けている。留守居役は、

「そちが来るのだからと、何とか前よりは摂生している。楽しくない相手だが恩人だ」

などと言って苦笑した。そんな留守居役の口は自然と、

「これは他言無用」と断りつつ、玄朴に対してしごく滑らかになった。おかげで玄朴は国許で起きていることのおおよそを知ることができた。藩主となった斉正は長崎へ赴いて蘭船を見学し、長崎警護のための砲台を西洋並に造り、西洋砲術の訓練をはじめたという。

――若さを頼んでの八面六臂(はちめんろっぴ)のお働きなのだろうが――

玄朴は斉正にはまだ目通りしていない。けれども江戸屋敷の斉正の乳母(うば)から幼子の頃は蒲柳(ほりゅう)の体質で風邪を引きやすかったと、聞いていただけに案じられた。

政を司る者、道を極める者、地位を脅かされてはならない者たちは総じて、玄朴の診立てを信じた。彼らは、正体のわからないもの、支配できないもの、要は病をひどく恐れたからだ。その正体の診立てが間違っていたとしても、彼らは「大事ない」と断じてほしいのだ。鷹見泉石が玄朴の腕を認めて、泉石の人脈に次々と紹介してくれるおかげか、有力者の患者が増えていった。玄朴はそれをありがたく受け

容れていった。

三

ある日、久々に戸塚静海が玄朴を訪れた。生家から送られてきたという茶の裾分けというのがたてまえで、実は玄朴と話をしたくてやってきたのである。評判の医者の二人は日々忙しく、このところ顔を合わせる暇もなかった。口先三寸で高い薬を処方して金儲けに長じている医者は料亭や吉原通いで忙しいが、この二人の場合は診療一筋で多忙を極めている。

「高野長英がこの江戸に戻ってきたことは知っているだろう」

静海は切り出した。

「知っている」

玄朴は少なからず苦い思いで答えた。

シーボルト事件の後、もはや鳴滝塾もこれまでと見切りをつけた長英は、この時すでに水沢伊達藩士の身分を捨てていた。そして自身の蘭学と医術の才を頼んで諸国を巡った後、江戸は麹町貝坂で塾を開くと同時に蘭方医として開業していた。

玄朴は長英をますます快く思わなくなっていた。長英とて人並に苦悩はするが結論を出してけりをつけると、まるで苦悩などなかったかのようにけろりとしてしまい、自身の苦悩について朗らかとも言える無邪気さ、天衣無縫さで周囲に話し散らした。

玄朴は猪俣伝次右衛門に照を託されて受け容れたが、終生源三郎やその母親の恨みの対象とされている。とはいえ長英のように振る舞えるかときかれれば、そうはできないとはっきりと答えられた。自分には頼むだけの蘭学や医術の才はないとわかっていたし、せっかくやっと得た士分の身分を、長英のように簡単に捨て去ることなど考えてもみなかったからである。

「どうにもわたしは昔から人が疑えないのだ。初対面の相手でもすぐに信じてしまう。何度も酷い目に遭わされてもこれだけは変えられない。要は窮している人や困っている人を見ると世話をせずにはいられない性分なのさ」

明るく応えるような長英の性格は、周囲に好かれていた。

この話は騙されるほど人が好いことの自慢にしか聞こえない。しかし、なぜかこんな長英にはあのシーボルトが重なる。二人とも知識欲の塊であり、決して人には嫌われないという確信がある。そして人や世界は自分を中心に存在するという想いに酔っていて、それがいかにも心地よさげだった。

「まあ、いろいろ聞いているが、あの男は鳴滝に居た頃と少しも変わらないな」

玄朴は静海の手前、迂闊に妬みを口にはできなかった。

「そうなんだろうが、長英があちこちで連呼している、〝医者は身すぎ世すぎにしかすぎない〟というのは困る。蘭学の才をひけらかしているのだろうが、医者しかしていないこっちが愚かに聞こえないでもない。そんな言い草は止めてもらいたいものだが、言うことをきく長英でもあるまい」

珍しく静海は長英への憤怒を露わにして、

「蘭癖の薩摩の島津斉彬様や宇和島の伊達宗城様等は多額の謝礼を積んで、長英に阿蘭陀本の和訳を頼んでいるのだとも聞いた。まさに鼻高々、我が世の春とはこのことだ。それに何より、尚歯会とやらが我らへの批判を通り越して、嘲笑っているかのようでいかん」

静海は吐き出すように続けた。

この時、玄朴はこの先、いつまで患者の人気を得続けられるのだろうかという静海の不安を察していた。

――だからここまで長英と尚歯会にこだわるのだろう――

「日々、全身全霊で患者を診ていればきっと道が開ける、それしかない」

と励ますほかなかった。

「たしかにな」と静海はやっと頷いた。

もう少し時が過ぎて静海が今ほど尚歯会に気を立てなくなったら、告げようと思っていることが玄朴にはあった。実は玄朴はすでに尚歯会に入っていて、誘ってきたのは高野長英であった。

「世の中ほどわからぬものはないな。鳴滝塾で一つも和文蘭訳を出していないおまえ、いや貴公が、今や医者としてこれほど江戸で成功していようとは思ってもみなかった。もっとも俺は馬脾風が幸いしたなんてことは言わないよ。いやはやともあれおめでとう。めでたさついでに我らの会、尚歯会に入らぬか。というのはまあ、すっかり金持ち医者になった貴公も尚歯会のために一肌脱いでくれということだよ。毎度通わずともいいから、金持ち医者相応の会費を出してもらえると助かる」

と長英は言った。

玄朴が躊躇(ちゅうちょ)していると、

「集っている者たちの名を聞いたら、さぞかし驚くだろうな。士分で画家の渡辺崋山(わたなべかざん)なんていうのは興味も惹かれまいが、きっと貴公がしがみつきたくなるような出世頭たちもいる」

長英はにやりと笑って、江川邦次郎(えがわくにじろう)、川路萬福(かわじかずとみ)の名を口にした。

江川邦次郎は、代々伊豆韮山(いずにらやま)代官としてその地を治めている、江川家の生まれでしごく行動的で明るく快活な人物である（後に英龍(ひでたつ)と改名、海防を建議し、勘定(かんじょう)

吟味役まで出世する)。川路萬福は豊後国日田の出身であるが、一家をあげて江戸に出てきて、萬福は川路家の養子となり、いまでは勘定組頭格に出世をしていた(後に聖謨と改名し、勘定奉行などの重職を務める)。和歌を詠むなど文筆をよくし、どちらかといえば静かな自然の情緒を好むように見えた。長英に誘われたのは癪ではあったが、尚歯会の人脈には有能な幕臣もいて、玄朴は有意義だと判じて入会したのであった。

四

尚歯会の研究は蘭学の主流であった医学・語学・数学・天文学にとどまらず、政治・経済・国防など多岐にわたっていた。

「当主 斉正様が砲術訓練をことのほか激励し、自ら巡視されていると聞いたが真か」

と長英に突っ込まれ、興味津々にぎらつく目を向けられた時、玄朴が、

「さあ、わたしはただの侍医にすぎませんので」

と躱そうとすると、

「鳴滝塾の頃から思っていたが、貴公は不勉強が過ぎる」

長英の目が据わっていた。尚歯会では、話だけではなく酒や肴がふんだんに振る舞われる。おそらく江川や川路も玄朴同様、過分な会費を払わされているのだろう。それなのに長英が人一倍酒を飲んでいるのだ。

「俺はおまえに殺されかけたことがあるぞ」

突然、長英が玄朴に向かって怒号を上げた。玄朴は皆の目が一斉に自分に注がれているのがわかった。

「シーボルト先生は常日頃から蘭語に親しむべきだとして、仲間内で酒を酌み交わす場でも蘭語で通すように指導なさった。あの時のことだ」

そう言われても玄朴は覚えていなかった。今はこうして玄朴もひとかどになったので、長英と話をすることもできるが、あの頃は玄朴にとって長英は遠く眩しい存在だった。声などかけられるはずもなかった。ましてや殺しかけたことなどあろうはずもないのだ。

「覚えていないか。おまえたちは俺をいつも妬んでいた。目でわかった。あの時一番立場が弱かったおまえは皆の命を受けて、酒に酔って階段を下りようとしている俺を突き飛ばす役目になった。さしもの高野長英でも階段から突き落とされかけたら、阿蘭陀語ではなく日本語で助けてくれと言うはずだという悪戯だったろうさ。だがお生憎様、俺は蘭語でゲバルトレイキ（あぶないっ）と叫んで滑り落ちた。残念ながら俺は打ち身が一つ、二つできただけだったが、打ち所が悪ければ死んでいたかもしれない」

と言い募った。長英は昔を思い出したかのように勢いづき、

「ちょうどここにも階段がある、ちょっと来い」と促して、玄朴は踊り場に立たされた。

「何をする、やめろっ、わーっ」と叫んで、長英は自ら落下して尻餅をついた。

「やられたあ、またしても伊東にやられたあ」

さらに叫んだ。玄朴は事の成り行きに愕然とした。なにゆえここまでのことをされなければならないのか、見当もつかなかった。

「高野様はご自分でわざと足を踏み外されましたよ。高野様らしい悪ふざけといいますか、きっと酒が過ぎたのでしょう」

いつの間にか川路が踊り場にいる玄朴の隣りに立って長英を見下ろし、玄朴に向かって柔和に笑いかけた。

長英は、誰にも相手にされないとわかって、不貞腐れてそのまま眠ってしまったようだった。

「どうですか、医業は儲かっていますか」

唐突に川路に訊かれた。このような問いを受けたことがなかったので玄朴は、

「ええ、まあ」

口を濁した。診察、往診料は日に日に増していったので、質実な玄朴一家はほぼ一汁一菜を通していることもあり、手文庫は重くなって数が増えるばかりであった。

「儲けているとお仲間に詰られることもあるのでは」

玄朴が他の医者たちの会に招かれると、話は飢饉対策から入って、いつも最後には医は断じて仁術でなければならないというところで締め括られた。玄朴は〝医は仁術派〟の不興を買っていて、〝元手の金が医療には要る〟と反論はするが、手痛く吊るし上げられる。一度だけ耐えかねた玄朴が、

「飢餓とそれに伴う疫病が救いがたい病だとしたら、医の仁術よりも、薬や食べ物が買える金のほうが命を救うのではないか」

思わず本音の発言を強めたところ、否定の重い沈黙が続いた。以来、玄朴はことあるごとに、腕は立つが金の油を舐める蛇のような貪欲な医者と評されるようになった。悪評判で患者が減るかと思いきや、その逆で高位や富裕な人たちは、高額の薬礼（診療費）と共に診察を依頼した。薬礼が少ないと断られるかもしれないし、診察がぞんざいでは困るとの判断であろう。

この話を玄朴は初めて他の者にした。すると川路は笑いながら、

「どうもあなたはわたしと同じ匂いがしますな」

玄朴の方を真っ直ぐ見つめた。

「それはもう医も算術に決まっています。ただし医は特に正しい算術でなければなりません」

玄朴は応えた。川路は渡来の薬を買い付けて高額で売っている薬種問屋や、処方して法外な薬礼をもとめる医者たちを、冷笑して一通り批判したあと、

「噂ですとあなたは節約家で蓄財されているという。それは正しい医を成すための算術ではありませんか」

川路に念を押された玄朴はこの時、初めて自分を正しく理解し、評価してくれる相手を見つけたと感じたと同時に、自分の蓄財に合点がいった。

──親しくない医者仲間や世間に誹りを受けるような吝嗇の心根ゆえではない
「蓄えた金子の使い途は定まっているのですか」

玄朴の顔を慎重に窺いながら、川路は訊いてきた。

「助けられる命を助けたいです。正直、長英の人となりは好きではありませんが、翻訳の腕には感心させられます。『牛痘接法』は稀代の名著ですから」

『牛痘接法』を世に出したこともあって、長英のところに痘瘡を病む子どもたちの

治療をしてほしい人々が殺到していた。市中での長英は痘瘡の大家と見做されていたのである。その得意げな様子が目に浮かぶと不快になり、痘瘡で苦しむ子らの様子までもが長英の自慢顔と重なった。頼まれると玄朴は痘瘡患者を診たが、馬脾風の時のように自ら率先して、長屋住まいの患者たちの隔離に奔走するようなことはなかった。どうにも長英と痘瘡が重なって、積極的には取り組めなかった。

「シーボルト先生が江戸参府の折、牛痘苗で種痘を行い、見学した侍医たちの間で評判になったことは聞いていました。何でも牛痘苗での種痘とやらを子どもの頃行うと、終生痘瘡には罹らないというではありませんか」

言い出した、川路は両掌で、凹凸のある肌で覆われている自身の顔をぞろっと撫で、

「この顔は子どもの頃、痘瘡に罹った名残りです。痘痕の残り具合は人によっても異なるので、わたしのような酷い痘痕が残った女子の中には、年頃になって世をはかなんで身投げする者もいるようですね。わたしは女子でなくてよかった。しかし、これがなかったらもっと女子に惚れられて、愉しいことも今よりあったかもしれない。これでも花とか四季折々の空や緑、美女も含めて美しい様が人一倍好きなのですよ。伊東殿、是非とも牛痘種痘で子どもの命を救うだけではなく、誰もが痘痕なしで生き存えられるようにしてください」

頼むように言い、

「そうそうあの江川殿も〝痘痕の領民、特に女子を見るのは辛い、本当に種痘とやらで罹らぬようにできるのなら、自ら家族に受けさせた後、皆に大手(おおで)を振って薦める〟とおっしゃっておいででした」

　領民の生活に強い関心を持つ江川の名を口にした。

　川路のこの希望は玄朴に強く響いていた。川路の言葉をきっかけに、庄屋の娘八重(やえ)の今際(いまわ)の際(きわ)の様子を、また思い出したからだ。美しかった八重の顔は痘瘡の瘡蓋(かさぶた)で覆われていたのだが、玄朴はこれまで種痘は八重と自分の夢なのだと思いつつ、痘瘡に罹った八重の顔を忘れたいと願っていた。多くの痘瘡患者の治療に当たっていても、その顔の様子と八重とを結びつけないように、天女の八重は綺麗だった頃のままの顔で死んでいったと思い込もうとしていた。玄朴も弟も痘瘡の通過儀礼を受けたが、体質ゆえか強運だったのか、痘痕は僅かに残っただけだった。それもあって、生き存えた者たちの痘痕は、幸運の証(あかし)そのものなのだと玄朴は真から思った。八重は死んで、痘痕を残す者たちは生きている、目の前の川路も含めて――。

　玄朴は種痘への想いが、改めて自分の命と同様に感じられた。わが命とひきかえても達成したい、成し遂げたい。

　だからこそこれほどまでに、金を蓄え、権力者と繋がりを作ってきたのではないか。それは種痘をこの国に広めて、多くの命を救うためだと、今はっきり自覚した。

「疱瘡にさえ罹らなければ、世に疱瘡の疱痕はなくなりますね。要は疱瘡を種痘でなくしてしまえばいいのです。ただし牛痘苗は外国からの入手となるのでたいそう高額でしょうし、第一ご公儀がお許しになりそうにありません。長い道のりです」

玄朴は告げた。

「出世などせずともいいからもう少し遅く生まれてくれればよかったと、是非ともあなたが、このわたしを後悔させてほしいですね」

川路が激励してくれた。そのおかげで、夢から覚めない心持ちになった玄朴は、疱瘡についてなぜ今まで真剣に向き合おうとしなかったのかと自分を省みた。医者になりたがっていた八重は美しいまま死にたかったのではなく、生きたかったのだと思った。病を治す医者はいくらでもいる、自分以上に有能な者はこれからもたくさん出てくるだろう。しかし、疱瘡という魔物に立ち向かえるのは、猪俣家の重責を背負わされた自分以外いないのではないかと初めて思った。

各藩には痘医がいて、人痘という、軽度の疱瘡に罹らせて二度と罹らないようにする処置は取られている。痘医の中には肥前国大村藩医の長与俊達等かなりの腕の痘医がいたが、不幸にしてこの施術で亡くなることもあり、いまだ疱瘡対策は馬脾風同様徹底した隔離に尽きていた。


〈つづく〉

おいち不思議がたり

誕生篇 第九回

あさのあつこ

Asano Atsuko

戦うために

箱崎町の通りを歩く。

暑い。

今日は朝から、お天道さまがやけにはりきっている。浮かぶ雲は一つ、二つと数えられる程度で、空はどこまでも青く、ぎらついていた。

歩いていると汗が滲み、気持ちが悪い。

「おいち、大丈夫か？　あそこに水茶屋があるぜ。一休みするか」

新吉が指さした先には葦簀張りの水茶屋があって、軒下に〝お休息処〟と書かれた軒行灯が掛かっている。葦簀には〝甘酒〟の紙も貼りつけられていた。

甘酒……。

ごくりと喉が鳴った。甘酒は暑気払いにはうってつけの飲み物だ。むろん、冬でも美味しい。甘さの中に生姜のぴりりとした辛みが潜んでいて、季節に関わりなく大好物だった。

「駄目よ。甘酒は帰りにするわ」

そっと唾を呑み込んで、おいちは首を横に振った。

「今は甘酒どころじゃないの。いざ、出陣って心持ちなんだから」

「だから、そんなに力むなって。もっと楽に、力を抜いて」

新吉が肩を上下させる。その後ろから美代が顔を出し、頷いた。

「そうよ、おいちさん。命のやり取りに行くわけじゃないんだから、もう少し気持ちを緩めましょう」

「そういう美代さんだって、かなり、強張った顔付になってるわよ」

「えっ、そ、そう。そんなわけないいんだけど」

美代が自分の頰を何度も撫でる。新吉がため息を吐いた。

「二人とも本当に大丈夫か。やはり、おれもついて行こうか。用心棒ぐらいの役には立てるぜ」

　おいちはもう一度、かぶりを振る。

「大丈夫。心配しないで。美代さんと二人だから何とかなる。ううん、何とかするの」

　おいちがこぶしを突き出す。新吉は苦笑いを浮かべた。

「それに、新吉さんは、これから大切なお仕事でしょ。あたしたちに構っている暇なんてないのと違う」

　新吉の許には『菱源』を通さない仕事も多く持ち込まれる。どれも、新吉の腕を見込んで直に頼まれるものだ。むろん、『菱源』の親方も承知の上だった。親方はゆくゆくは名前、店ごと『菱源』の全てを新吉に譲る気でいるらしい。そのためにも、仕事の幅を広げ、得意先を増やせと助言してくれている。新吉は根っからの職人気質なので商いには全く向かないのだが、不思議と注文は絶えない。品物の質の高さと確かさ、そして新吉の人柄を気に入って贔屓にしてくれる客がかなりの数いるのだ。

「暇はあるさ。品物を届けるついでだからよ」

「ついでって、届ける相手は小網町の料理屋さんでしょ。箱崎橋を渡らなきゃいけないじゃない。こっちだと遠回りになるわ」

「うん、まあたいしたことはねえよ。でもなあ、女二人だけで本当に大丈夫かなあ」

美代が噴き出す。

「はは、新吉さん、おいちさんのことが心配でしょうがないのねえ。でも、安心してくださいな。わたしが付いているんだから、いつもみたいに、おいちさんに無茶な真似なんかさせません。天地神明に誓ってさせません」

「ちょっと美代さん、それじゃあたしが無茶ばかりしてるみたいに聞こえるじゃない」

「してるみたいじゃなくて、してるの。だから、新吉さん気が気じゃないのよ。で

前回までのあらすじ

おいちは、江戸深川の菖蒲長屋で医師である父・松庵の仕事を手伝いながら、石渡塾に通っている。そして飾り職人の新吉と結婚し、子供を宿す。ある日、六間堀で若い男の他殺体が見つかる。男の懐からは、新吉が通う「菱源」の印が入った鑿と風鈴が出てきた。一方おいちは、石渡塾で共に学ぶ和江が血飛沫を浴びている幻を見てしまい、不吉な予感に苛まれる。そんな折、瓦葺き職人・平五郎が同じような手口で殺された。やがて石渡塾に、胡乱な男たちがやって来て、和江を家に連れ帰ろうとする。

しょ？」

「はい」

新吉が神妙な面持ちで首肯する。

「その通りなんで。おいちが何を考えて、どう動くか、おれにはさっぱりなんで。間違ってないのは確かなんでしょうが、間違ってないからいいってもんじゃねえし……。まずは自分の身の安全を考えてもらいてえなと……。美代さん、お頼み申します」

「任せて。今日は話し合いだけなのだから、危ないことは一つもないわ。御新造さまは、わたしが必ずお守りしますから、ご安心を」

美代がぽんと胸を叩く。

「もう、止めてよ。あたしは、そこまで向こう見ずじゃありません。二人して酷いわ」

すねた振りをしてみせる。おいちも、新吉の気持ちはよくわかる。これまで、散々、心配させてきた。考え過ぎだと笑い飛ばすことはできない。

「おとなしくしてます」

歩きながら、小声で言う。

「ほんとの、ほんとにおとなしくしてます。告げることだけを告げて帰ってきます。走ったり、跳（と）んだり、危ない真似は決してしません」

「それに、なるべく腹を立てないようにしましょう」

　美代が今度は帯の上を軽く叩いた。

「気持ちを揺らさないで淡々（たんたん）と伝えましょう。相手が怒鳴（どな）ろうが、喚（わめ）こうが、どれほど無礼（ぶれい）なことを口走ろうが、盛（さか）りが付いた猫が鳴いているぐらいに思えばいいんだから」

「美代さん、盛りが付いた猫は言い過ぎじゃない。せめて……」

「せめて、何？」

「餌（えさ）を取り合っている猿（さる）とかにしといたら」

「どっちもどっちじゃない」

　おいちと美代は顔を見合わせて、くすくすと笑った。

「うん、そんな冗談（じょうだん）が言えるぐらいなら大丈夫か」

　新吉も笑顔になる。その足が止まった。

　通りを曲がり、暫（しばら）く歩いたところだ。人通りも賑（にぎ）やかさも表ほどではない。

「……あれか」

「ええ、あれね」

　三人の前には白っぽい道が続いている。その道の奥に、黒い甍（いらか）を夏の光に煌（きら）めかせた館が建っていた。築地塀に囲まれ、薬医門が付いている。門はぴたりと閉まり、人の出入りを拒んでいるようだ。

医師、加納堂安の屋敷は想像していたより、かなり大きく立派だった。おうたではないが、菖蒲長屋とは雲泥の差だ。いや、比べるのさえおこがましいほどの違いがある。

医者ってやりようによっては、こんなに儲かる仕事なんだ。

ふっと呟きそうになる。その呟きを奥歯で噛み潰して飲み下した。「当たり前だろ。松庵さんがもう少し要領さえよければ、お屋敷住まいも夢じゃなかったのさ。それが、あんな、狸の巣穴みたいな所に納まっちまって、情けないったらないよ」と、おうたの苦々しい顔と声が浮かび聞こえたが、それはどこかに追いやる。

「立派ねえ。びっくりするぐらい立派なお屋敷だわ」

おいちの心内をそのまま、美代が声に出した。おいちは背筋を伸ばし、胸を張った。

「でも、屋敷の大きさなんかに怖気づかないわよ。負けるもんですか」

「ほんとね。でも、そんな台詞は思うだけにしといて。でないと、新吉さんがまた心配しちゃうでしょ。ねえ、新吉さん、うん?」

美代が首を傾げる。おいちも、亭主を見上げ瞬きを繰り返した。

新吉は顔を横に向け、通り過ぎる人々を見詰(みつ)めていた。さほどの数ではないが、それでも荷を背負った男、粋(いき)な身形(みなり)の女、籠(かご)を担いだ老女、羽織袴(はおりはかま)姿の武士といった様々な人たちが行き来している。

新吉は大きく目を見開き、首を伸ばし、何かを探しているようにも見えた。口を薄く開けているので、息苦しそうにも見えた。

「新吉さん、どうしたの」

おいちが袖(そで)を引っ張ると、新吉の唇(くちびる)から息が漏(も)れた。

「え？　あ、いや、まさかな……」

「まさかって、何が？　どうかした？」

「あ、いや……。じゃあ、二人ともくれぐれも無理はするなよ。美代さん、おいちのこと、よろしくお願いします」

一礼すると、新吉は身をひるがえし、行(ゆ)き交(か)う人々の群れに紛(まぎ)れていった。

「おいちさん、ご亭主、急にどうしたの？」

「さあ、忘れ物でも思い出したのかしら」

首を傾げる。忘れ物があろうと、落とし物をしようと新吉があんな顔をするのは、めったにない。あんな顔がどんな顔か上手(うま)く言い表せないけれど、強(し)いて言葉にすれば驚きと怯(おび)えが入り混じったような表情……だろうか。

「さっ、行きましょう」

美代が促す。おいちは頷き、足を前に出した。

門の前に立つと、屋敷はさらに大きく、圧してくるようだった。

「門が閉まっちゃってるけど、患者さんはどこから入るのかしら。患者さん用の出入り口があるのかなあ」

おいちが囁くと、美代は右手を左右に振った。

「和江さんの話を聞いてなかったの。加納先生は限られた患者しか診ないのよ。お大尽とか高位の方とか。そういう患者の許を日を決めて往診して回るの。だから、飛び込みの見知らぬ患者なんて診療しないのよ。つまり、患者用の出入り口なんていらないいってわけ」

「なるほどね。儲けてる医者って、そういう診療のやり方をするんだ」

ふと、山賀貝弦という医者のことを思い出す。

やはり高名な流行医者で、患者はお大尽ばかりだった。お大尽しか患者にしなかったという方が正しいだろう。山賀も大きな屋敷に住み、弟子を抱え、贅沢に暮らしていた。そして、己の欲に引きずられて人の道を外れ、結句、身を滅ぼした。

加納堂安が山賀貝弦と同じ道を辿るとは言い切れないが、おいちたちとは生きる向きが違う相手なのは確かだろう。

「納得している場合じゃないでしょ。どうやって中に入る？　まさか、塀を乗り越えるなんて言わないでね。わたし、そんなに身軽じゃないから」

美代の冗談に、おいちは軽く笑った。

「この塀を乗り越えられるなら、夜盗になれるわよ。あたしたちには無理。だったら、正面から堂々といきましょう」

おいちは息を整え、指を握り込む。

「もし、お頼み申します。なにとぞ、ここをお開けください」

こぶしで門を強く、叩く。美代も傍らで声を張り上げた。

「お頼みします。中にお通しください。どなたか、おられませんか」

どんどんどん、どんどんどん。

こぶしが痛いけれど、気にしていられない。

どんどんどん、どんどんどん。

音が響く。ややあって切戸が僅かに開いた。庭番らしい痩せた男の顔が覗く。金壺眼でおいちたちを睨むように見やった。

「どなたですかな。騒々しい」

おいちは笑みを浮かべ、頭を下げた。

「失礼いたしました。実は加納先生にお会いしたく参ったのですが」

「先生？　うちの患者さまのお身内ですかな」

「いいえ、違います。でも、先生にお会いして直にお話ししたい儀がございます」

「約定がおありだと？」

「いいえ、ございません」

男の鼻から息が漏れた。明らかに、こちらを見下している。おいちも美代も普段通りの木綿小袖を身に付けていた。どう見ても、裕福な家の子女の恰好ではない。

「そんなことができると思ってるのか」

男の口調が急にぞんざいになる。

「帰れ、帰れ。先生はお忙しい。約定もない者と会うわけがなかろう」

今にも閉まりそうな戸に向かい、おいちは声を大きくした。

「よろしいのですか。和江さんに関わることですよ」

男がもう一度、顔を覗かせる。黒目が僅かだがうろついていた。

「和江さんって……おじょうさまのことか」

「そうです。わたしたち石渡塾の者です。和江さんと一緒に学んでおります」

「……あんたたちが塾生？　女のくせに医術を学んでいるのか」

女のくせにと、男は言った。許されるなら、おうたを真似て通りまでぶん投げてやりたい。

美代がすっと前に出た。懐から一通の書状を取り出す。

「これは、塾頭石渡明乃先生のお文です。加納先生にお渡しください。その上で、わたしたちを中に入れるか入れないか、お決めになった方がよろしいかと存じますが。何も取り次がないまま門前払いをしたとなれば、あなたの落ち度になりかねませんからね。わかります？　あなたのお・ち・ど」

男は口元を歪めたが、無言のまま書状を摑み姿を消した。

「上手くいくかしら」

美代が胸の上を軽く押さえた。

「上手くいかなかったら、本気で壁を越えるしかないかも。覚悟しとかなきゃ」

「おいちさん、ちょっと止めてよ。そんな真似したら、わたしが新吉さんに叱られるわ。いえ、叱られる叱られないって話じゃなくてよ」

「あはっ、嘘、嘘。真に受けないで。さすがに壁をよじ登ったりしないって。あたしだって自分が身重だってわかってるんだから。無理はしません」

「ほんとに、お願いよ」

「やだ、美代さんたら。あたしなりに分別はありますからね、安心してちょうだい」

「だといいんだけど。何だかはらはらしちゃって」

美代が苦笑する。新吉にも松庵にもよく似たことを言われ、心配されている。仙五朗には、はっきりと釘を刺されていた。

あたしって、そんなに考え無しで動いてる？　いや、そんなことは……。

あるかもしれない。

身を竦めそうになる。これまで、後先考えずに動いたことが二度や三度……五度や六度はあった気がする。

「なんだか、あたし、みんなを心配させてばかりみたいね。ちょっと、心を改めなくちゃ駄目かもしれないなあ。ほんと、申し訳ない」

「あら、申し訳ないなんて、そんなことないわよ。おいちさんの身体の心配はしているけれど、おいちさんを責めてる人は誰もいないじゃない。新吉さんも含めてね」

「あ……そう言われてみれば、そうかも」

「でしょ。おいちさんが間違ったことは一度もないって。これ、仙五朗親分から直に、聞いたんだけど」

「え？　間違ってないって？」

「そう、おいちさんはこちらが思いもしなかった動きをして、面喰らうことも度々あるけど、それがみんな誰かを救うことに繋がっていて、間違ったことは一度もないんだって。だから、おいちさんに救われた人は沢山いるんだと。自分もずい分と助けてもらったと、しみじみとした口調で仰ってたわよ」

おいちはかぶりを振った。頰が火照る。おそらく、紅く色づいているだろう。

「それは言い過ぎってものだわ。あたし、間違ってばかりだし、救えなかった人もたくさんいるし……」

美代と目を合わせる。美代の唇が微かに震えた。

「おいちさん、もしかして喜世さんのことを考えてた？」

「ええ、美代さんもでしょ」

二人は、ほとんど同時に空を見上げた。

猛々しいほど青く輝いている。あの日、同じ石渡塾の塾生だった穴吹喜世が海の彼方に消えていった日、空はどんな色をしていただろうか。ほぼ一年前のことなのに、百年昔にもついこの前のようにも感じてしまう。

あたしは喜世さんを救えなかった。あの人の罪を暴くことはできても救えなかった。

唇を嚙む。

救えなくて、遠ざかる姿を見ていただけだった。決して手の届かないところに去っていこうとする人を見送ることしかできなかった。

「わたしね、喜世さんから託された役目をまだ果たせていないの。新しい薬を生み出すって役目。果たすための一歩さえ、踏み出していない。それがわたしの今なの。正直に打ち明けちゃうと、己の力不足を痛いほど感じてて、落ち込んだりもするのよ」

　美代の口調が心持ち重くなる。

「これからでしょ、美代さん」

　おいちは美代の重さを払うように声を明るくした。

「あたしたち、まだ学んでいる途中なんですもの。やりたいことをやり遂げるのは、これから先でしょ。落ち込むなんて早過ぎるって。うん、十年は早いのと違う？　まだまだ道は遠いけど、だからこそ努めなくちゃね」

　道は遠い。果ては見えない。でも消えたわけじゃない。おいちたちの足元から伸びた一筋の道は確かにあるのだ。

　幻だとか夢だとか戯れだとか、決して誰にも言わせない。

　美代がおいちを真っ直ぐに見据えてくる。

「ねえ、おいちさん。おいちさんは嘘をつかないってわかっているから……だから、一つだけ尋ねてもいい？　もしかしたら、気を悪くするかも知れないけど」

「うん？　どうしたの、美代さん。そんなに改まって。いいよ、何でも尋ねて。答えられることなら答えるから」

わざと軽く言い、笑んで見せる。

「あの、あのね。おいちさん、もうすぐ赤ちゃんが生まれるでしょ。それで、あの、お母さんになっても塾を辞めたりしないわよね」

おいちは束の間だが、息を詰めていた。美代からそんな問いかけをされるとは、思ってもいなかった。

「もちろん、続けるわ。辞めるなんて考えたこともないもの」

「そうよね、そうよね。ごめんなさい。変なこと言っちゃった」

ほうっと音が聞こえるほどの吐息を美代が漏らす。

「美代さん、急にどうしてそんなことを……」

「ううん。おいちさん、心を改めなくちゃいけないの、わたしの方みたい」

「え？」

「わたしね、心の隅でおいちさんのこと信じ切れていなかったのかもしれない。おいちさんには新吉さんみたいなご亭主がいて、間もなく母親にもなる。妻であり母親である人が、塾で学んでいけるのかって疑ってたのよ。いえ、怯えていたんだと思う」

「怯えるって……あたしに？」

「一人になることに、よ」

美代がすっと目を逸らした。少し俯き、言葉を続ける。

「わたし、日頃は偉そうなことを言ってるけど性根は弱虫なのね、きっと。一人になるって考えただけで怖気づいたりするんだから」

「美代さん、ごめんなさい。美代さんの言っていること、よくわからないんだけど」

おいちの知る限り、美代が何かに怖気たり、怯えたりしていた様子はない。

「そうよね、わからないよね。わたしも多分ちゃんとわかってないのかも。うまく説き明かせないんだもの。ただ……喜世さんがいなくなって、もし、おいちさんまで塾を辞めちゃったら……あたし一人が残るのかなあって考えて……、もちろん、他の塾生も明乃先生も傍にいるのだけれど、喜世さんやおいちさんとは違うのよねえ。何て言うんだろう……同志？　志を同じくしてともに前に進んでいける。でも、それだけじゃなくて一緒にいて楽しいし、力を分けてももらえる。競い合いもできる。そんな人ってね、とっても大切じゃない。そんなに容易く出逢える相手じゃないし。だから大切なんだけど……。でも、喜世さんは……喜世さんは、道を間違えてしまった。同じように歩いているつもりだったのに、別の道を……しかも、決して通ってはいけない道に足を踏み入れてしまった」

「ええ……」

頷く。喜世は道を違えた。医者としても人としても、違えてしまったのだ。取り返しのつかない過ちを犯してしまった。その科をおそらく己の命で贖ったのだろう。

　美代がまた吐息を零した。

「わたしの心の内には、喜世さんとは全く別の理由でおいちさんも去っていくかもって、そんな気持ちがあったのよね」

「……それって、あたしが医の道を諦めるかもって、美代さんが考えたってこと？」

「うん。いえ、違うかな。あの、おいちさんがどうこうって話じゃなくて、あたしの思案が古いままだったなって……。あの、つまりね、おいちさんは女で立派なご亭主がいて、もうすぐ赤ちゃんも生まれてくるわけでしょ。そういう人ってあえて何かに挑んだり、学んだりはしないと……そんな思い込みが心の底の底にあったみたいで……」

　眦を吊り上げていた。目尻に痛みを覚えるほど強く、引き攣らせたようだ。

「美代さん」

「あ、わかってる、わかってる。ひどいよね。これまで、女のくせにと見下す相手に本気で腹を立ててきたし、女は子を産んで育てるのが役目なんて平気で口にする輩を蹴っ飛ばしてやりたいと思って、おいちさんとも一緒に怒ったり、嘆いたり、負けるものかって歯を食いしばったりしてきたのに……。そういう無礼な人たちと同じ思案がわたしの中にもあったんだって、いえ、今でもまだあるんだって気が付いて……。気が付いたのは、おいちさんがいてくれたから。おかみさんになっても母親になっても医の道を進み続けるおいちさんを見ていて、わたし、自分の古い思案に気が付いたの。気が付いたら、潰せるじゃない。こうやって、ぐしゃって」

美代が親指の先を下に動かす。

「潰して潰して、潰さなきゃね。潰しきれなくて、また頭をもたげてくるかもしれないけれど、その都度、潰していくの」

「ぐしゃぐしゃって、ね」

「そうそう。潰し続けなくちゃ、若い塾生たちのお手本になれないでしょ」

「うん、そうだね。あたしたちの後ろには和江さんたちがいるのだものね」

美代と目を合わせ、互いに頷く。

綺麗事でなく、己の醜さも不安も愚かさも、美代は打ち明けてくれた。おいちだって同じだ。周りを妬む醜さも、未来への不安も、世間の言う〝当たり前〟に振り回されてしまう愚かさもたっぷり持っている。なのに今の美代のように、潔く打ち明ける度量の広さはない。

でも、一人ではないとはわかっている。

前には明乃の背中があり、後ろからは少女たちの息遣いが聞こえてくるのだ。

「美代さん」

「はい」

「今はあたしたちのことより、和江さんよ」

「ええ。何としても守らなきゃあね」

道を踏み外すのも他の道を選び直すのも、本人の意ならしかたない。おいちたちがとやかく言える筋合いではないのだ。しかし、和江は違う。己の意に反して、力尽くで道を変えられようとしているのだ。それを、みすみす放っておいてはいけない。

いけないから、今日ここに来たのだ。

雲が出てきた。日差しが翳る。空の青さが心持ちくすんできたようだ。

ぎいっ。音を立てて切戸が開いた。おいちは、空から地へと目を移す。

さっきの男とは別の若い男が出てくる。白地に井桁模様の小袖と藍色の袴姿だ。髪を後ろに撫でつけ一括りにした、いわゆる総髪だった。おそらく、加納堂安の弟子の一人だろう。

「あの、加納先生にはお会いできるでしょうか。あの、わたしたちは」

「こちらへ」

おいちを遮って、男は中に消えた。戸は開いたままだから門前払いを食う心配はないようだ。おいちたちが戸を潜ると、男は無言で歩き出した。よく日に焼けて精悍な顔立ちをしているが目付きは悪い。おいちたちを睨むように見て、背を向けたのだ。

「感じ、悪いわね」

美代が囁く。おいちも囁きで答えた。

「ほんとほんと。何もあそこまで難しい顔をしなくていいのにね」

「笑ったら負けだとでも思ってるのかしら」

「年中、あんな不機嫌な顔をしてるわけじゃないでしょうけど、取っつき難いね」

不意に男が立ち止まり、振り向いた。おいちと美代は口をつぐむ。

「ここから、上がるように」

男はぼそりと告げると、沓脱ぎ石の上に履き物を脱いだ。おいちも下駄を脱ぎ、懐から手拭いを取り出して足裏を拭う。それから、素早く周りを見回した。

そこは屋敷の中庭のようで、水を湛えた泉水を緑の木々が囲み、石灯籠の白さを引き立てている。おいちは普段、庭とは縁のない暮らしをしているけれど、よく手入れの行き届いた美しい庭だということぐらいは感じ取れた。耳を澄ますと、鳥の声に交じって遠くから鋏の音が聞こえてくる。たぶん庭師が働いているのだろう。

廊下も広く、磨き込まれている。そして、どこまでも続いている。

男は廊下を曲がり、奥まった一室の前で膝をついた。

「先生、連れて参りました」

お連れしましたでも、お見えになりましたでもなく、連れて参りました、だ。つまり、おいちたちを客として認めてはいないと暗に、いや、露骨に示している。

障子の向こうから返事があった。男が不意に腰を上げ、おいちの前に足を広げて立つ。

「いいな、おまえたち」

「は？　おまえたちですって。あなたに、そんな呼び方をされる謂れはございませんが」

おいちは男を見上げ、睨みつけた。男は薄笑いを浮かべる。

「先生は本来なら、おまえたちが会えるようなお方ではないのだ。そこをきちんと弁えろ」

「え？　何を弁えればいいのか、とんと合点がいきません。わたしどもは石渡塾の塾生です。つまり、加納和江さんと共に学んでいる者です。その由は先ほどお渡しした塾頭の文に記されていたはずですが、加納先生はお目通し下さいましたよね」

「それが、どうかしたか」

「どうかしたか？　あなた、お馬鹿なの」

　男の頬に血が上った。

「和江さん、つまり、加納先生の御息女についてのお話に参ったのですよ。さらに言うならば、塾頭石渡明乃の名代として参りました。それほど、大切なお話がございます。なのに、あなたのその振舞は如何なものでしょう。無礼極まりないではありませんか」

「無礼なのは、おまえたちだ。いいか、加納先生は天下の名医として」

　今度は、おいちが男を遮る。

「加納先生がお偉いのは重々承知しております。でも、あなたは加納先生ではありませんよね。なのに、なぜ、そんなに威張っておられます。師が偉いとお弟子まで同じように偉いと勘違いされておられるのでしょうか。だとしたら」

　虎の威を借る狐と口に出しそうになって、さすがに唇を閉じる。男の頬はますます紅潮していった。今にも摑みかからんばかりの様子だ。

　美代がおいちを庇うように、前に出てきた。

「ともかく、加納先生にお目通りを願います」

　美代がそう告げたのと、障子の向こうから笑い声が聞こえたのは、ほぼ同時だった。

「はははは。よい、坡平、お客人をお通ししろ」

よく響く、美しい声が耳に届いてくる。おいちと美代は思わず目を合わせていた。

坡平と呼ばれた男は、顔を紅くしたまま、再び膝をついて障子を開けた。師が客と認めたのだから、それなりの礼は尽くさねばならない。頬が強張っているのは奥歯を嚙み締めているからだろう。

また、やっちゃった。

おいちは僅かに身を縮めた。坡平という男があまりに尊大なものだから、つい、言わずもがなのことを言ってしまった。こちらから喧嘩を売ったようなものだ。新吉、松庵、おうたの苦り切った顔が眼裏を過る。

ごめんなさい。この先は気を付けます。決して早まったことはしません。言いません。

胸の内で手を合わせる。

美代と並んで、廊下にひざまずき、頭を下げる。

「そのような堅苦しい真似はよろしかろう。お二人とも、中に入られよ」

柔らかく優しささえ含んだ声音だ。

おいちはゆっくりと身体を起こした。


〈つづく〉

世界はきみが思うより

第九回 チョコレート・サンドイッチとぼくたちの未来について（前編）

寺地はるな
Terachi Haruna

ひさしぶりに、昔の夢を見た。

夢の中で、ぼくは五歳だった。あっくんが隣にいた。保育園の水色のスモックを着て、いっしょに植えこみの影にしゃがんでいた。もーいーかーい、と声がする。すぐそこでする。あっくんは「やっぱあっちに隠れようかな」と言う。「ぼくもいく」とついていこうとしたら、あっくんは「ふたりで同じところに隠れたらふたりとも見つかっちゃうよ」と唇をとがらせた。置いていかれたくなくて、「でも」と袖を引っぱったら、あっくんはいつのまにか道枝くんになっていて、そこで目が覚めた。

まつ毛がじっとり濡れていて、嫌な気分になる。泣くような夢じゃなかったはずなのに、どうしてだろう。夢をすっかり洗い流すように、いつもより念入りに顔を洗った。

だいいち、あっくんのことなんか長いこと思い出しもしなかったのに。そう思ってから、いや違う、と思い直した。思い出さないようにしていたのだ、ずっと。でも最近、それができなくなってきた。道枝くんのせいだと思う。

着替えて台所に入っていくと、母が立ったままパンを食べていた。何時に出るんやったっけ、と確認されて、時間を答えた。

「気つけていっといで」

毎日のように聞いている言葉なのに、なぜか違う言葉みたいに聞こえた。朝食を済ませ、歯磨きを終え、靴を履いていると、母が追いかけてきた。

「お昼、どうすんの」

「どっか、途中で食べるんちゃうかな」

母は財布から五千円札を出して、ぼくに差し出す。

「いらん。遊びに行くわけじゃないし」

「でも、途中でなんかあったら困るし。念のために持っとき」

財布じゃなくて別の場所に、と念押しされたので、五千円札を折りたたみ、パスケースの奥にしまった。

「冬真（とうま）」

気をつけて。母がまた同じ言葉を繰り返す。心配する気持ちはわかる、と言いたいが、ほんとうはわからない。たかだか電車で一時間の距離だし、来月には高二になるぼくたちはもう子どもじゃないんだが、としか思えない。

春休みに両親に会いに行く、と道枝くんから聞かされた時、ぼくは自分が同行するなどとは思いもしなかったし、道枝くんだってそんなつもりではなかったはずだ。十二月半ばのことだった。道枝くんとぼくはその日、クリスマスケーキの試作をしていた。

「進路のことで、親に呼ばれてて」

道枝くんはなにか、とても苦しいことを吐（は）き出すみたいに言った。ぼくはバターをホイップしたせいでべたべたに汚（よご）れているボウルを洗いながら、「向こうが来てくれたらええのにな」と答えたと思う。でもそういうわけにもいかなかったようだ。後になって「春休みに行くことになった」と聞かされた。それから道枝くんは、日に日に元気がなくなっていった。授業中寝ているのはいつものことだったが、あきらかに口数が減り、ぼんやりすることが増えた。

「だいじょうぶですかね、道枝くん」

「おかずシェアの会」でうちに来ていた菜子さんに相談したら、「本人に言いなさいよ」とめんどくさそうな顔をされた。菜子さんはその時大量のひじきの煮物を小分けにしていたから、それどころではなかったのかもしれない。

「心配ならついていってあげたら？　あのね、冬真くん、わたしはあの子の保護者ではあるけどあの子じゃないから、あの子があなたにどうしてほしいかまでは、わからない」

母を含む他のメンバーは素知らぬ顔でぼくたちから離れたところで野菜を切ったり、洗ったりしていた。数か月前に、「おかずシェアの会」は新規のメンバーを迎えた。水田さんという、身体の大きい男性だ。吉良さんの会社の後輩らしい。

水田さんといえば、とそこまで考えた時にちょうど道枝くんの家につき、庭に弓歌さんの姿が見え、そこで思考が中断された。まだ寒さの残る朝なのに、スウェット姿で椅子に腰を下ろしている。

「おはよう。こんなとこにおったら風邪ひくよ」

弓歌さんはぼくの言葉には答えず、傍らのゴミ箱に向かってなにかドロドロしたものを吐いた。首にかけたタオルで口もとを拭って、ぼくに向かって中指を立てる。

「もうひいてんだよバカ」

今日はいつにもまして顔色が悪い。まともに食べられない日が続いているらしく、頰がげっそりとこけ、目の下は黒ずんでいる。口の中が気持ち悪いのか、またゴミ箱の上に屈んでぺっと唾を吐いた。

「最悪」

だいじょうぶ？　じゃないな、すでに「最悪」って言うてるもんな。そうなんや最悪なんや、とか言うのもあれやな、そんなん言われても腹立つだけやろ。逡巡した結果、無言になった。

「いつまでも見てんじゃねえよ」

すんません、と通り過ぎようとしたら、「いや、見ろ」とぼくの服の袖を摑む。

「いや、どっち？」

「『難病の美少女』の実態を、よく見ときなよ。あんたが大好きなきれいな小説や映画とは違うんだよ」

そんな言いかたしなくてもいいじゃないか、とむっとしたが、ちょうどよい反論の言葉はどれほど待っても浮かんでこなかった。

「なんか今、ぼくにできることある？」

「ない。ただ見て」

弓歌さんがぼくを見上げた。

「鋼のことも」

縋るような目で「ちゃんと見てて」と続ける。道枝くんのことを心配しているんだと気づいて、ようやく居心地の悪さが消えた。

「約束する。見てるよ」

「座って」

そう言われても、椅子は一脚しかない。しかたなく椅子の傍らにしゃがもうとしてよろめき、結果としてひざまずくようなかっこうになった。召使か、あるいは従順な犬にでもなった気分だ。

「あのさ」

弓歌さんは何度も何度も、口元をタオルで拭う。

「うん」

「鋼は、がまんするの。だから、見ててあげて」

母親は自分のことで精いっぱいで、父親は母親のことで精いっぱいだ。菜子さんは親ではないので、頼り過ぎてはいけない。妹は病気で辛いのだから、自分が弱音を吐いたり不平を言ったりしてはいけない。兄はたぶんそういうふうな思考回路で生きているのだと、彼女は言う。

「でもそれは、きみの憶測でしかなくない？」

言いたいことはわかるのだが、勝手に道枝くんの苦悩を想像して本人のいないところであれこれ言うのははばかられる。

「それは、そうかもしれないけど」

弓歌さんは言葉につまったように下を向く。

「ぼくには、道枝くんの気持ちをぜんぶはわからへん」

でもそれを踏まえて、道枝くんがぼくにこいつにならら話せる、話したい、って思ってくれるならうれしいし、そうなれるように努力しようとも思ってる、と続けると、彼女は小刻みに頷いた。

「わかったら、もっといろいろ楽になるのに」

考える前に、その言葉がこぼれ出た。そう、道枝くんの気持ちがわかったら、楽になれるのに。

膝の上に置かれたスマートフォンに、ストラップと呼ぶにはあまりにも大きな二頭身の人形がぶらさがっていた。メガネをかけた少年もしくは少女の姿をしている。

「これってアニメのキャラクターかなんか?」

「そう。見たことはないけど」

「見たことないのに、つけてんの?」

「ある人が、このキャラが好きだって言っていたから」

よくよく聞けば、そのアニメはぼくも知っている有名な小説を原作としたものだった。「読んだの?」

「読んだし、持ってる。興味あるなら貸すけど、ある人って誰?」

「あんたに関係ないでしょ」

きつい目つきでにらまれる。それもそうだ。

「すんません。じゃあ」

立ち上がろうとしたら、腕を摑んで引き戻された。

「なに?」

「ねえ、会ったことない人を好きになるって、へんだと思う?」

弓歌さんは強くぼくの服の袖を摑んだまま、下を向いていた。「会ったことがないけど好き」な人と彼女は、ゲームを通じて知り合ったらしい。オンラインで通話をしながら進めるゲームだ。プレイヤー同士で協力してモンスターを倒したり、なにかのアイテムを集めたりする。それで仲良くなって、ゲームをしない時でも毎日話をする仲になったのだそうだ。ひとつ年下の男の子で、学校には行っていない。健康上の問題があるわけではない、ということだけはわかっている。名前は「おーちゃん」である、というようなことを、弓歌さんはいつになく早口で話してくれる。

「へんではないけど、心配はする」

ひとりで会いに行ったりしたらあかんで、と言うと弓歌さんは「保護者みたいなこと言わないで」と顔をしかめた。

「裸(はだか)の画像送ってとか言われたら、ぜったい断るんやで」

「あたりまえでしょ！　バカじゃないの」

袖を摑んでいた手が離れた、と思ったら力強くぶたれた。「痛(い)った」と身をよじった拍子にバランスを崩して尻餅(しりもち)をついてしまう。弓歌さんはぼくをつめたい目で見つめてから「ありがと」と呟(つぶや)いた。表情のきびしさと発言の乖離(かいり)に戸惑(とまど)う。

「なにが？」

「へんじゃない、って言ってくれて」

「へんではないよ」

誰かを好きになることは、へんなことなんかじゃない。そう言おうとして、なぜか涙が出そうになった。

「ね、それ本気で言ってくれてるんだよね。気休めだったら、怒るよ」

弓香さんはまだ不安そうで、なにかもっと言葉が必要だ、という気がした。

「じゃあ、もし」

ぼくはいったいなにを言おうとしているんだ、と思ったけど、思った時にはもう口に出してしまっていた。

「ぼくが道枝くんを好きやって言うたら、きみは『へん』って言う？」

また「バカじゃないの」と言われると思った。ふざけている、と誤解されているかもしれないと。でも、言われなかった。驚いている様子もなかった。

「言わない」

「そっか」

なんとか平静を保っていたけど、ほんとうは地面に倒れ伏しそうなほどほっとしていた。同時におそれた。口に出したことで、動き出してしまう。誰にも知られず、心の中で思っているだけなら、なかったことにもできるのに。

「へんじゃないよ、冬真。誰かを好きになる、ことは」

人形をぎゅっと握りしめながらたどたどしく言う弓歌さんを見ていたら、すこし笑えて、泣けてきた。通じ合ったとまではいかなくとも、ずっと「どうあつかっていいかわからない」と思っていたこの口の悪い女の子に、すこし近づけた気がした。

「関係ないけど、このアングルで見るときみと道枝くん、めっちゃ似てんな」

「は?」

「今まで似てると思ったこと、いっぺんもなかったけど」

「なにそれ。吐くほどどうでもいい」

玄関のドアが開き、道枝くんが姿を現した。従者のごとくひざまずいているぼくを見て、笑った。

「そんなとこで、なにしてんの」

「なにも。鋼、はやくこいつ連れていって」

弓歌さんがうんざりした顔でぼくを指さした。

大阪駅から特急に乗れば一時間でたどりつける街。自分の両親がそんなにも近い場所に住んでいることを、道枝くんは今までずっとぼくに話さなかった。訊(き)けば答えてくれたのかもしれない。これまでがそうであったように。

道枝くんはど派手なトートバッグを肩から下げている。出がけに菜子さんが「これ、お弁当、家についたらみんなで食べて」と押しつけたものだ。

「なんでお弁当なんか」

ぼくが言うと、道枝くんは「ああ、うん」と呟いて、トートバッグを担（かつ）ぎなおす。

「昔さ、一緒に住んでたんだよね、両親と菜子さん。料理は菜子さんの担当だったから、あのふたりの懐（なつ）かしの好物でも入ってるんじゃない？」

道枝くんは「すこしでも和ませようとしてんのかね」とぼやくように言い、ぼくはなんと答えていいのかわからず「電車すぐ来るかなあ」とどうでもいいことを言った。

電車の到着を待つホームで、道枝くんの話を聞いた。もとは道枝くんのお父さんと菜子さんの兄妹で暮らしていた部屋に、道枝くんのお母さんが転がりこんできて、三人暮らしがはじまった。全員、二十代だった。

その話は、ぼくも以前菜子さんから聞いたことがある。可能なかぎり本人の口調で再現すると、以下のような話だ。

わたしと兄は、世間並以上に仲がいい兄妹だったと思う。いっしょに住んでもいい、と思えるぐらいにはね。兄もわたしと一緒なら広い部屋に住めるって喜んでた。結（ゆい）さんは、鋼のお母さんね、あの人は、最初は兄の恋人ってわけじゃなかった。友人のひとり。文芸のサークルで知り合ったみたい。兄もその頃小説を書いてたから。結さんに出会ってすぐやめちゃったけどね。才能にひれ伏したって感じなのかな。敵わないって思って、支える側にまわったのかもね。

　結さんはその頃、家族と折り合いが悪くて、家を出たがっていた。でもまあ、なんていうか「繊細(せんさい)」な人だから。働ける場所が限られてるんだよね。騒がしい場所がだめとか、大きな声出す人がだめとか、あと、ああ、ストッキングを穿(は)けない？　とか言ってたかな。だから会社勤めなんか無理なわけよ。なにそれって顔してるね。でもこれ、女にとってはかなり職種が限られてくるタイプの事情なんだよ。とくに当時はね。

　仕事が続かないからお金もたまらないし、ってところに兄が「じゃあ、うちに来たら」って声をかけたのね。一応、わたしには事前に相談してくれたよ、もちろん。兄はまあ、そうだね、「ほっとけない」って気持ちと、下心が半々だったんじゃない？　下心って言いかたは辛辣(しんらつ)すぎる？　でも兄が結さんのこと好きだったのは事実だから。菜子も会ったらぜったいに好きになる、って力説されたもんね。

　好きにはなったよ、たしかに。いっしょにいて楽しい人じゃないの、むしろその逆。でもある種の魅力があるのは確か。繊細なガラス細工みたいな感じ。きれいで、ずっと見ていたくなるけど、持ち運ぶとしたらすごく緊張するし、気を遣うよね。結さんってそんな感じ。

ふたりの結婚に至るまでの経緯なんだけど、あんまり覚えてないんだよね。結さんが小説家としてデビューするっていう大きな出来事の裏で、いつのまにか婚姻届を出してましたって感じ。

デビュー作はすごく売れたわけじゃない。でも有名な小説家が新聞の書評で取り上げたりして、ちょっと話題になった。三作目ぐらいまではそれなりに順調そうに見えた。兄が精神的な面で結さんを支えて、わたしは家事とか諸々を引き受けて、いちおううまくいってたと思う。でもまあ、わたしにもわたしの人生があるしね。いつまでも兄夫婦と同居しているわけにも行かないでしょ。

「でも、ちょうどその頃に鋼が生まれて」

道枝くんの誕生後の話あたりから、菜子さんの口は極端に重くなった。出産後に「結さん」は著しく不安定になった、その不安定さの詳細は語りたくないとのことだったので、ぼくも深追いはしなかった。深追いをしなかったがゆえに謎のままだった詳細を、今、道枝くんが語ろうとしている。だがちょうどその時、ホームに特急電車がすべりこんできた。

乗りこんで席につき、道枝くんが足元にリュックを置き、ハーフコートを脱いで膝にかけるまでのあいだ、ぼくは道枝くんの話が再開するのを辛抱強く待たなければならなかった。

「おれ、ずっと菜子さんのことをママって呼んでたんだよね」

同じ家に住み、世話をしてくれる人を母親だと思うのは、無理もない話だ。でも道枝くんのお母さんはそうは思わなかったらしい。自分になつかない息子を、次第に遠ざけるようになった。

「冬真の、いちばん古い記憶ってなに?」

「なんやろ。幼稚園の入園式かな」

母と離れるのが嫌で、大声で泣いた。隣の園児が「うわ、コイツだっさ。赤ちゃんか」みたいな顔でぼくを見ていた。

「おれは、母親が海に入っていく記憶なんだよね」

砂浜に横倒しになったベビーカーと、片っぽだけの白い靴が波をかぶっていたことを覚えているという。腰の高さまで水に浸かった髪の長い女を羽交い締め(はがじ)するようにして砂浜に引き戻そうとする男を見ている道枝くんは、菜子さんにしっかりと抱かれている。おそらく母であろう、記憶の中の女は、大きなお腹をしている。

「弓歌を妊娠している時だったってこと」

そのことがどうしても許せないんだ、と道枝くんは言い、ぼくはただ「うん」と頷いた。他になにが言えるというのか。

弓歌さんが生まれてからも状況は変わらず、やがて弓歌さんに病気が見つかり、菜子さんはふたりを連れて、家を出た。

「でもまあ、あんな人たちでも親は親だから、子どもの進路は気になるんだろうね。おれ、進学はしないつもりだから。菜子さんがそれをあの人たちに話したみたいで、それで呼び出しがかかったわけだよ、今回」

進学せずにどうするつもりなのかは、まだぼくも聞いていない。道枝くんはそれ以上喋らずに、ぼんやり窓の外を眺めはじめる。ぼくはリュックから参考書を取り出して読みはじめたが、すこしも頭に入らなかった。

父は「大学卒業までは、面倒見るから」と言うのだが、いや言うからこそ、父にだけは頼りたくないという思いがある。いやお金を出させるだけ出させた後に「もうじゅうぶんです。これ以上は関わらないでください」ときっぱりかかわりを断つほうが良いのだろうか。ぼくはとりあえず、大学には行っておきたい。なにか特別に学びたいことがあるわけじゃない。でも当然行くものだと思って生きてきたし、それ以外の人生のルートみたいなものが思い描けない。

「あ、そういえば、お弁当の会のことなんだけど」

道枝くんがいきなりこちらを見て言ったので、これ幸いと参考書を閉じる。

「おかずシェアの会、な。どうしたん？」

「先週、また新メンバーが入ったんだってね」

菜子さんから聞いたん、と問う声が裏返った。

水田さんが、自分の恋人だという女性を連れてきた。先週おきたばかりのそのちょっとした事件を、ぼくはいまだに道枝くんに伝えられずにいた。

「その人、高木桂(たかぎけい)さんだったんでしょ？」

言葉が出ない。出ないことが、もう答えだった。

「菜子さんから聞いたんだよ。国際交流プラザに勤めてる人で、冬真と知り合いみたいだった、って。なんですぐ、おれに話してくれなかったの」

高木桂さんは、ぼくと顔を合わせた瞬間に、凍(こお)りついたように立ち尽くしていた。水田さんは彼女を「だいじょうぶ？　緊張してる？」と気遣っており、ぼくはびっくりしすぎてあいさつもそこそこに自分の部屋にこもってしまった。

数時間後に母が「ねえ、ちょっと水田さんが持ってきてくれたケーキ、あんたも食べよ」と呼びに来たので、しかたなく出ていった。桂さんは真っ青な顔で俯いていて、ケーキには手をつけていなかった。ずっとこの状態だったのかと思うと、さすがにすこし気の毒になった。

　トイレに立った彼女に合わせて、さりげなくぼくも立ち上がり、廊下ですこし話をした。

「知らなかったんです」

　開口一番、桂さんは言った。

「水田さんからは、会社の上司である吉良さんが入ってる料理のサークルみたいな会で、メンバーは近所の女性二人ってだけ聞いてたんです。あなたのお母さんだなんて思わなかった。信じられないかもしれないけど」

　すこし考えてから、信じます、と答えた。この態度が嘘や演技なら、人間不信になってしまう。

「水田さんと、つきあってるんですか」

　ちょうどその時、水田さんが廊下に姿を現した。桂さんがなかなか戻ってこないので、心配して見に来たらしい。桂さんが水田さんに耳打ちし、水田さんが目を大きく見開いて「そうか、じゃあ、きみが」と言ったので、水田さんがすべてを知っていることがあきらかになった。

「菜子さんの名字は『道枝』です」

意味わかりますよね、と小さな声で念を押すと、桂さんは青い顔のまま頷いた。図書館の時といい、今回といい、この人とぼくたちにはどうも妙な縁があるようだった。水田さんが「いつまでもここで話していたらみんな心配すると思うし」と、居間のほうを気にしながら言い、ぼくに連絡先の交換を提案した。

その夜、水田さんからの電話がかかってきた。そしてぼくは、桂さんがSNSに道枝くんの画像を投稿していたというのは高木みつきさんの嘘だった、ということを知った。

でも桂さんは「自分が無断で写真を撮ったのは事実だし、それは悪いことだ」と今も思い続けているし、おかずシェアの会にはもう二度と参加しないと言っている、とのことだった。でもね、と水田さんは言った。

「でもね、おれは彼女が会に参加することをきみたちに許してほしいと思ってる。彼女のしたことを許せとは言わないけど」

ぼくが許すとか許さないとかいう問題じゃないと思った。道枝くんに話してみますと請け負ったのに、今日までずっと話を切り出せずにいた。

「冬真、どうなの」

道枝くんに問われて、はっと我に返る。説明しなきゃ、と思えば思うほど、なにをどう言えばいいのかわからなくなった。

「ごめん」

「なんで謝るの」

道枝くんは、ぼくを安心させようとするかのように、かすかに微笑んだ。それから「図書館で会った時も、おれに黙ってたよね。なんで？」と言い出すので、またびっくりしてかたまってしまった。

「気づいてたん？」

「あの時、冬真の様子がへんだったからこっそりついていったんだよ」

ぼくが桂さんを追いかけるところも、連れのジャスミンという女性に英語でまくしたてられるところも、ぜんぶ見られていたらしい。ぼくが戻ってくる前に急いで引き返して、ずっとここで本を読んでいました、というふりをしたという。ぜんぜん気づかなかった。

「黙っててごめん。道枝くんに嫌な思いしてほしくない、って思ったから」

わかってるよ、と道枝くんは頷いた。

「でもこれからは、勝手な判断で隠しごとしないでほしい」

ぼくはしばらく考えてから、わかった、と答えた。道枝くんがぼくの肩に軽いパンチを当てる。

「痛った」

まったく痛くなかったが、いちおうそう言っておいた。道枝くんはもうこの話題に興味を失ったようで、ガム食べよ、などと言いながらボディバッグの中を探り出した。

「冬真、口開けて」

指示通りに口を開けたら、ガムがひと粒放りこまれた。嚙んだら鼻の奥が痛くなるほど強烈なミントの味がして、勝手に涙が滲んでくる。

「正直言うと、おれ、もう桂さんのことそんなに怒ってないよ」

「そうなん?」

もちろんされたことは嫌だったけど、と道枝くんは言って、ガムが入っていたプラスチックのボトルをバッグにしまう。

「嫌だったけど、今も嫌だけど、あの人がおかずシェアの会に入るっていうんなら、べつにいいんじゃない。参加する権利、あるんじゃない?　おれは顔合わせずに済むように避けまくると思うけど、いい?」

「いいと思うよ。ぜんぜんいい」

道枝くんは小さく頷き、ボディバッグを抱きしめるような仕草をした。息を吐いて、長椅子に座り直す。まだ解決していない問題はたくさんあるけど、ちょっとだけ気が軽くなった。道枝くんにたいする秘密がひとつ減ったから。


〈つづく〉

第二話 時の魔法（中編）

村山早紀
Murayama Saki

　昼下がりに商店街を訪れた苑絵（そのえ）は、店に到着するなり、銀河堂書店のエプロンをかけ、休む間もなく、桜風堂書店でくるくると働いた。

　そうしたかったし、そうでなくてはいけないほどに、店内にお客様がわいわいと詰めかけていたのだった。苑絵が店の扉を開けたとき、レジにいた藤森（ふじもり）も、奥のカフェスペースのカウンターにいた一整も、ほっとしたような表情になったのを見逃さなかった。

　その店で時間を過ごす機会も、その長さも、これだけ回数を重ね、過ごす時間が増えてくると、最初はお客様扱いだった店の人々も、スタッフの一員として見てくれているような気がして、くすぐったくも嬉しかった。

苑絵はどうにも自分に自信がなくて、ひとの輪の中に入ることが得意ではなくて、でもそんな苑絵でも、ここでは必要とされていた。桜野町も桜風堂書店も、いらっしゃい、待っていたよ、と、迎え入れてくれるようだった。忙しすぎることもあって、ここではうつむいている余裕はなかった。顔を上げて働けて、楽に呼吸が出来るような気がするのだった。

半日店を手伝った。レジでいろんなお客様を迎えて、本を売り、本の話をし、何冊もお買い上げいただいた。二階の児童書の棚を見て、絵本や子ども向けの読み物の発注をした。心を痛めつつ、返品する本を選び、棚から抜いた。連れ合いが児童書の版元の編集長である藤森には、新しめの子どもの本に関する知識がいくらかあり、相談に乗ってくれた。

店長である一整も、子どもの本には詳しいけれど、その多くは昔の本――古から読み継がれているロングセラーの児童書に関する知識がほとんどで、いまどきの旬の子どもたちに人気の本には詳しいとはいえず、同じ二階に棚がある、コミック担当の来未にいたっては、読み物に苦手意識があるようで、みなに感謝された。

感謝といえば、手が空いたときにPOPやハロウィンの飾りに使えそうな絵を、さらさらと何枚か描くと、驚くほど喜ばれた。

特に来未は、苑絵の手元に顔を近づけ、息を止めて凝視するようにして、描き上がると、ため息をついた。

「すごいです、さすが、神」

来未はなぜだか、苑絵の絵が好きで、とことん尊敬してくれているそうで、どんなラフな絵でも感動してくれる。最初はどぎまぎして対応に困ったけれど、自分と同じでひとづきあいに無器用であるらしい来未が、ぎこちなく向けてくる尊敬のまなざしが、きらきらしていて、なんだか可愛くて——いつか、自分の妹のような気がしてきていた。ひとりっ子の苑絵には、妹や弟という存在は、物語の中のキャラクターというか、憧れの存在だったので、ちょっと嬉しかった。

夜になって閉店の後は、スタッフのみんなで中庭でバーベキューをすることになって、とても楽しかった。桜野町は、規模は小さくとも、品質の高い物を安定して産出できる、農業と畜産の町でもあり、野菜も肉もみんな美味しかった。

誰がいうともなく、今度、山に釣りに行こうという話が決まっていて、渓流釣りなんて言葉は知っていてもしたことがない苑絵は、どきどきしながら、釣りの雑誌や本を読んで勉強しなくては、と、心に決めたのだった。

藤森と来未、透の三人が、それに元々の桜風堂書店の店主が、この山の渓流ではどれほど美味しい魚が釣れるのか、どんな風に釣るのか、なんて話を聞かせてくれた。

透が、上手にとうもろこしを焼きながら、

「どうせなら、山の上でキャンプするのも良いかもですね。釣った魚をそのまま料理するの、美味しいですし」

藤森が、肉の焼け具合を観察しつつ、

「山の空気の中で飲む、淹れたてのコーヒーなんて、最高だしね。俺もキャンプに一票だ。寝る前の憩いのひとときに一杯。夜明けとともにまた一杯。ギターも持って行って、その都度素敵なＢＧＭを奏でようじゃないか」

来未がうんうんとうなずいて、苑絵に笑みを向ける。

「山の上の方は、空が広くて、とても綺麗なんです。時間ごとに見る見る色が変わるんです。グラデーションがめっちゃ素敵で、スケッチするの、おすすめです」

「そうですね。卯佐美さんの時間が合えば、キャンプも良いですね」

ビール（最近町に出来た工房製のクラフトビールなのだそうだ。美味しかった。渚砂に買って帰ろうと思った）のせいなのか、少し饒舌になった一整が、楽しそうにいった。

「山の上は、この町の辺りよりもっと空気が澄んでいて、流れ星が嘘みたいに次々に流れるのが見えるんです。その日までに、願い事をたくさん用意しておくといいかも知れませんね」

苑絵はうなずいた。

「たくさん考えておきます」

そういいながら、星が降る空の下、このひとや楽しい仲間たちといっしょに時間を過ごせるのなら、自分はその時きっとたいそう幸せで、もうなにも願い事はないと思っているだろうな、とも思うのだった。

秋の虫が静かに歌をうたっていた。その音色と、近くを流れる川のせせらぎの音を聞きながら、食後に美味しいお茶やコーヒーを飲んだ。透の祖父が語る、この町や店の様々な思い出話を聞いたりもした。そしてみんなでバーベキューの後片付けをして――。


気がつくと、もう夜も九時を過ぎようとしていた。

名残惜しいけれど、さすがにそろそろお開きにしないと、明日の営業に差し支える。明日は日曜日だし、今日よりももっと、お客様が増えるだろう。苑絵はホテルをチェックアウトした後、午後の早いうちまで店を手伝い、そのあと帰る予定だった。

ここから風早まで、直線距離だとそこまで遠くはないはずなのに、遠回りする上、電車を乗り換えていかなくてはいけないから、風早に着くのは深夜になる。なかなかに遠い旅だけれど（特に帰途は距離を感じる）、これでもどういう奇跡なのか、電車の本数が一本増えて、行き来がずいぶん楽になったのだと一整に聞いたことがある。一整が最初に辿り着いた頃の、桜野町との行き来は、途中下車して一泊しないといけないほどに、はるかに遠い旅だったのだ。

（わたしだけ、明日、風早の街の家に帰るんだなあ）

苑絵の胸は寂しさにちくりと痛んだ。

故郷の街は大好きだし、家も、両親のことも大好きだけれど——ここを離れて帰るのは、心のどこかが、引きちぎられるような痛みがあった。

ずっと聞こえている秋の虫の声や、吹きすぎる夜風の冷たさが、余計に物寂しい気持ちを誘うような気がした。

（これきりのさよならじゃない。またすぐにここに帰って来られるし、そうすればいいだけのことなんだけど……）

自分がいない間の、店のことが心配だし——いや、そんな優等生みたいな心配も嘘ではないけれど、ただ子どものように寂しかった。この店のスタッフの中で、自分ひとり遠くに帰らなくてはいけないということが。自分がいない間も、ここにいるひとたちの生活は続き、自分が知り得ないいろんな出来事が起きるのだということが。

(当たり前のことなんだけど——)

妙に寂しかった。

うつむいている苑絵に、一整が声をかけた。

「ホテルまで、送っていきます」

その声のあたたかさが、まるで、柔らかな毛布か羽布団をふわりとかけられたようで、苑絵は、ただ、「ありがとうございます」と、小さな声で答えた。

透が、「あ、ぼくも——」といいかけて、藤森から、こつんと頭を叩かれていた。

「邪魔するんじゃない」

「てへ」

そんなやりとりを視界の端に見ながら、苑絵は、おやすみなさいの挨拶をした。

少し先に立って歩く一整に連れられて、秋の夜道を、小高い丘の上に立つ観光ホテルに向けて、歩き始めたのだった。

古いホテルは、窓に光を灯し、まるで小さな城のように、丘の上にそびえたっていた。

その光の城に向けて、苑絵は一整といっしょに、ゆっくりと歩いて行った。

商店街の店々は、もう閉店の時間を過ぎているけれど、街灯はまだ灯り(あか)を灯していて、秋の夜は柔らかい明かりに照らされていた。

さっきまでにぎやかな声や、笑い声の中にいたのに、夜の闇の中に歩き出すと、山間(やまあい)の町の夜の、草木や土、水の匂いに飲み込まれそうで、圧倒される。

それでもすぐそばに一整がいて、いっしょに夜の中を歩いてくれるので、何も怖くなかった。

(ずっとそばにいてくれたんだなあ)

同じ店で働いていたとき、店内の近くにいつも優しい気配があった。苑絵がうっかり店内でつまずいたりすると、差し出される手があった。あの頃は、いまのような柔らかい笑顔は見せてくれず、冗談も聞かせてくれなかったけれど、苑絵が迷わないように、転ばないように、まるで――まるで王子さまや騎士のように、いてくれたのだった。書店のエプロンをかけた騎士だ。ずいぶん汚れてくたびれて、ポケットにはたくさんのボールペンやカッターを差した、そんな騎士だった。

(絵本の王子さまに、似てたんだ)

昔になくした大好きな絵本の、月の裏側の世界の、優しい魔物の王子さま。ひとりぼっちで友達が欲しかった、優しい王子さまに、記憶の中にあるその絵に、一整はどこか似ていた。

(たぶん、似ているのは絵だけじゃなくて)

こうして、一整のひととなりや、これまでの半生を知ってみると、その魂もどこか、あの王子さまに似ているような気がするのだった。だからこそ、一整が気になり、惹かれるようになったのかもしれない、と思う。

あの懐かしい絵本の王子さまは、幼い日の苑絵の初恋の相手だったのだから。何度も読み返して、幸せにしてあげたいと思った、自分なら友達になってあげるのに、と思った、そんなさみしい、ひとりぼっちの王子さまだったのだから。

ホテルの正面玄関の前についたとき、一整は、「じゃあここで」と、足を止めた。

ハロウィン風の、魔女や黒猫が踊るリースが飾られた玄関の扉の前には、古風できちんとした服装のドアマンがいて、苑絵に、「お帰りなさいませ」と笑みを浮かべて、頭を下げる。

一整は、そして苑絵も、互いに何か相手に話しかけたいような気持ちのまま、言葉が思いつかなかった。

やがて一整は、

「じゃあ、また、明日。おやすみなさい」

といって、道を戻っていこうとした。

「おやすみなさい」

その背中に、苑絵が声をかけたとき、ふいに一整は大切なことを思いだした。

急ぎ足で引き返して、ポケットから出した小さな封筒を、苑絵に渡した。

「拝み屋のおばあさんから、卯佐美さんにと言付かっていて。お守りだそうです」

「まあ、ありがとうございます。嬉しい」

苑絵は大切そうに、封筒を受け取った。

一整は、拝み屋のおばあさんからいわれたことを苑絵に話すべきかどうか、数瞬の間、迷った。けれど、思案の末、結局は何もいわずに、ただ、じゃあ、と、手を振って、今度こそ道を引き返した。

（卯佐美さんは怖がりだから）

なぜお守りを託されたのか、そんな話をいましたら、怯えるのではと思ったのだ。

そもそも、秋のハロウィンの時期だ。そこにもってきて、霊能者――拝み屋のおばあさんが、守護のお守りを渡そうとした、なんて、まるで怪奇小説の導入部のようだと思う。王道の構成だ。キング辺りの小説にありそうだ。

（いまは夜だし、泊まるのはこんな闇に包まれたクラシックホテルで、周りで秋の虫は鳴いてるし、夜風は吹くし）

苑絵の青ざめた表情が目に浮かぶようで、こんなことなら、明るいうちに渡しておけば良かった、と一整はため息をつきながら、ひとりで夜道を歩いた。

「今日はとにかくお客様がたくさんで、どうにも忙しくて、卯佐美さんとゆっくり話す機会がなかったものなあ」

閉店後、バーベキューをしているときに、何回か、いまこのタイミングで渡そうか、と思ったことがあったのだけれど、みんなでわいわい盛り上がっていたこともあり、苑絵に声をかけるチャンスを失ってしまった。

山間の町の夜は暗い。頭上には美しい星空が広がり、町に灯る街灯や、ぽつぽつと灯る民家の灯りは、一整の目には美しく愛(いと)おしく思えるけれど、それは苑絵が慣れ親しんだ、都会の華やかな夜景とはまるで違う。ずいぶん寂しく、真っ暗に見えるだろうと思うのだ。

おまけに、たとえば――。夜の山で鳴く獣たちの声や、思わぬ時間にさえずる野鳥たちの声は、不気味だろうとも思うのだ。

そして、たとえば、星空に黒く浮かび上がる、妙音岳(みょうおんだけ)の影――まるで墨で塗りつぶしたような、漆黒(しっこく)の巨大な影には、一整でも時々、畏怖(いふ)の念を感じる。あの漆黒の闇の中に、町のひとたちが話す、山神や精霊たちがいるのかもしれないとつい思ってしまうから、怖くなるのかもしれないけれど。あの大きな山の影が、観光ホテルの窓からは、真正面に見えるだろう。慣れないと驚いて、ぞっとするのではなかろうか。

「まあ、俺だったら、これからひとりで寝るってタイミングで、旅行先のホテルで怖い話なんか聞きたくないと思うし」

ひとり旅で眠るホテルの部屋は、ただでさえ心細いものだ。自分なら、眠れなくなるかもしれない、と思う。ましてや、繊細な苑絵のことだ。恐怖のあまり一睡も出来なくなるのでは、と思うと、とても話せなかった。

（拝み屋のおばあさん、ごめんなさい）

一晩だけ、猶予が欲しいと思った。

明日、明るくなってから、桜風堂のみんながいるところで、苑絵にお守りの話をしようと心に決めた。拝み屋のおばあさんの言葉を聴いて、さすがに多少は驚きつつも、おばあさんの気持ちを喜び、感謝して微笑む苑絵の姿が見えるような気がした。

苑絵がフロントに行き、預けていた部屋の鍵を渡してもらうと、ベルボーイが「お帰りなさいませ」と颯爽と姿を現し、苑絵から鍵を受け取った。苑絵の手荷物も預かろうとしてくれるので、苑絵はお礼をいって、彼の手にトートバッグを渡した。

一整から受け取ったお守りの入った封筒をバッグに入れ損ねたので――いや正確にいうと、バッグにはまだしまいたくなかったので――大事に手に持ったまま、エレベーターホールに向かった。

あの絵本画家ローズ・Rの、少女の頃の自画像が、今夜も壁に掛かっていて、額の中から苑絵を見つめてきた。

(ローズさん……)

エレベーターを待ちながら、苑絵は肖像画を見つめる。

幼い日の苑絵が愛した、美しい絵本をのちに描いた、素晴らしい画才に恵まれた少女。その魂の欠片がそこにいるようだった。

このホテルに滞在していたという、十代の少女の頃の、その時間を切り取って額に入れ、そこに飾ったように。

(わたしは、何で、ローズさんに、何もしてあげられないいんだろう?)

考えても仕方がないだろうことを、つい、考えてしまう。――だって、その子のまなざしが、いまもこの空間にあるからだ。無限の哀しみと痛みと寂しさをたたえて、苑絵を見つめてくるからだ。

実際には、この少女がここにいたのは、もう七十年も昔の話。おそらくはこんなに悲しい瞳のままで、この少女は、やがて日本を離れアメリカに行き、ひとりぼっちで暮らして、荒れた生活の中で、美しい絵と絵本を残し、やがて行方知れずになってしまうのだ。

苑絵が、自画像を見つめているその様子に、思うところがあったのか、ベルボーイが、

「卯佐美のお嬢様は、ほんとうにその絵がお好きなようですね」

優しい声でいった。

苑絵は小さくうなずき、

「ええ、絵もとても好きだけれど――この子がいまここにいたら、お話が出来たかな、友達になれたかな、って、つい思ってしまって」

そうだ。同じ時代にいることが出来れば良かったのに、と苑絵は思っていた。

『トムは真夜中の庭で』で、トムとハティが時を越えて出会ったように。

(そんなこと、現実にはできっこないって、わかってはいるんだけど)

もしそれが可能なら、強制収容所でたくさんの無残な死を見てきた少女と出会い、友達になれたら良かったのに、と苑絵は思った。

苑絵は本や映画、テレビの映像くらいでしか、その場所のことを知らない。子どもの頃に、『アンネの日記』や『私のアンネ＝フランク』、少女期に、『夜と霧』と出会い、図書館で当時のことについて描かれた本を探し、読んだくらいのことだ。

きっと苑絵の知識や想像力などでは追いつけないほどに、そこは恐ろしい場所であり、ローズは家族を亡くし、ひどい経験をしてきた。平和な時代に、のんびり生きてきた苑絵ごときに、彼女を慰める言葉は思いつかず、出会えたとしても、何もいえないだろう。

けれどそれでも――この悲しい目をした少女の傍らに、束の間でもいることができればよかったのに、と思った。そばにいて、見つめてあげて、抱き寄せ抱きしめてあげることができればよかったのに、と、思っていた。

のちの彼女が描いた絵本を、どれほど苑絵が好きだったか、ページの端から端まで、脳に焼き付けるほどに、すべての絵を記憶したか――そんな話を、せめてしたかったかも知れない。

もともと見たものを覚えることに関しては天才的に記憶力が良い苑絵が、それ故に子ども社会から疎外され、ひとりぼっちだった苑絵が、意識して、自分の記憶力を駆使して記憶した、世界でたった一冊の絵本だったのだ。そんな話を――お礼をいいたかった。ひとりぼっちの寂しい子どもだった自分が、あの絵本、優しい魔物の王子さまの物語に、どれだけ慰められたか、話したかった。月の裏側にある、魔物の王国の王子さまが、友達を探して地球に降りてくる物語――あの物語そのものが、あの頃の苑絵の友達だったのだ、と。

　そしてある意味、あの絵本は苑絵の導き手だったのかも知れない。あの絵本との出会いがあったからこそ、苑絵は絵本や本を深く愛し、さらに愛着を持って読むようになり、長じてのち、書店員になったのだから。

　絶版になった彼女の伝記によると、ローズ・Rと名乗った彼女の口癖は、「わたしの生には何の意味もなかった。ただのゴミと同じ。不幸で苦しいことばかりだった」という、悲しいものだったという。

　そんなことはない、ここにあなたの絵本に救われた者がいますよ、と伝えたかった。あなたの描いた絵本は、時を経て、わたしの大切な友達、心の友になったんですよ、と。

　そして、迷いながら、おずおずと付け加えたい言葉がある。紙の本としては、いまはもう傍らにないけれど、苑絵の記憶の中にずっとあり、苑絵の命が地上にある限り、苑絵とともにこの世界に存在し続ける絵本になったのですよ、と。

絵にそっと語りかけたくなった。せめて、この一枚の美しい自画像に想いを伝えたい。

すぐそばにいるように思えても、実際には、彼女と苑絵の間には、七十年以上もの年月でできた、分厚い、目に見えない壁があるのだけれど。

苑絵は絵のそばを離れがたく、ベルボーイとともにエレベーターに乗り込んだ後も、ずっと絵のあった方をみていた。

「――そうですね、時を越えてお会いすることは難しいかも知れませんが」

静かな声で、ベルボーイがいった。

小さなこのホテルの最上階、三階にエレベーターが止まり、そこから苑絵の泊まっている、廊下のいちばん奥の部屋へと、苑絵とともに歩きながら、こういった。

「卯佐見様のお泊まりになっているそのお部屋の、向かいのお部屋が、その昔、ローズさまの滞在なさっていたお部屋でございます。卯佐見様のお部屋とは、カーテンやベッドカバーの色も同じ、家具の配置などが、鏡に映したように逆になっているだけの、双子のようなお部屋です。――ですので、どんな風にあの方がお部屋で時を過ごされていたのか、ご想像がしやすいのでは、と存じます」

そうか、と苑絵は思った。――現実には会えなくとも、想像の中では、彼女に会えるのかも知れなかった。

部屋の前につき、ベルボーイが扉の鍵を開けてくれているとき、苑絵は背後にある、向かい側の、その部屋の扉を見た。

廊下の一番奥に向かい合うふたつの部屋の木の扉の向こうに、今夜は宿泊するひとはいないのだという。実際、扉の向こうには、空っぽで静かな気配だけがあるように思えた。

苑絵とベルボーイはおやすみなさいの挨拶を交わし、ベルボーイはきちんとお辞(じ)儀(ぎ)をして、扉の向こうに姿を消した。

静かに扉が閉まった後、苑絵は、閉じた扉の向こう側にある、もう一枚の扉のその向こうの部屋へと、思いを馳(は)せた。

苑絵の泊まるこの部屋と同じ、小花柄(こばながら)の美しい壁紙と、深い色の重たいカーテンの部屋。美しい家具調度品が揃えられた、どこかお城のお姫様の部屋めいた、可愛らしい部屋で、少女の頃のそのひとは暮らしていたのだ。そんな部屋に閉じこもり、からだと心の傷を癒やしながら、ひとり絵を描いていたのだ。

部屋に備え付けの電気ポットに水を注ぎ、電源を入れた。あたたかな飲み物が欲しいと思った。備え付けのティーバッグの紅茶でも淹(い)れようか。

「ダージリンと、アールグレイがあったかな」

蜂蜜紅茶もあったかもしれない。

お茶を飲みながら、お風呂に湯を張って、湯船に浸(つ)かってから、眠ろうと思った。明日に備えて、眠らなくては。

明日は日曜日。桜風堂書店には、きっとお客様がたくさんいらっしゃるし、そのあとは、風早の町まで、ひとりで陸路を帰らなくてはいけない。

「――あ、お守り」

手の中の封筒を大切に開けて、小さなお守りをとりだした。白い和紙が人形の形に折ってあって、その胸元の辺りに、朱色で、何かの文字が、呪文を綴(つづ)るように、縦にさらさらと書き記してある。

「なんて書いてあるのかしら？」

唐草(からくさ)模様のような、美しい文字だけれど、かなり崩してあるせいか、苑絵にはまるで読むことが出来なかった。

でも見ていると、不思議と心が安らいだ。

「何のお守りなのかなあ？」

この町に来るために長旅を繰り返す苑絵のためのお守りだ。交通安全だろうか。それとも、健康のお守り？

可愛らしい、小さなおばあちゃんの、そのどこかいたずらっぽい笑顔が目に浮かぶ。皺に埋もれるような、黒くつぶらな瞳も。

冗談と駄洒落が得意で、町のほかのひとたちと仲良しで、みんなの人気者、ひとの輪の中で笑っていることが多いから、拝み屋を仕事にしている、と聞いたとき、そのひととその職業が、どうにも結びつかなかった。

怖がりの苑絵には、その職業は、どこか、物語の中の登場人物めいて思えるというか、少しだけ怖い職業のような気がしたから。

でも、おばあさんは、皺の深い口元に、優しい笑みを浮かべていったのだ。

「怖くないよ。みんなが幸せでありますようにって、神様にお祈りするお仕事だからさ」

ではこれは、何のお守りにしても、幸せのお守りなのだろう、と苑絵は思い、微笑んだ。

〈つづく〉

さよなら校長先生

11 深呼吸（前編）

瀧羽麻子
Takiwa Asako

忠司は壇上に立って、体育館の中を見渡した。

二面とられたコートのうち、手前の一面には、パイプ椅子が整然と並んでいる。一列につき十五脚を八列、合わせて百二十人分の席を用意した。

式典に先立って受けつけた参加希望の申しこみは、当初の想定を上回った。これとは別に、壁際にも関係者用の椅子を置いてある。こちらの教職員に加え、教育委員長や市議といった公職の面々にも、何人か出席してもらう手筈になっている。

ここだけ見れば、入学式や卒業式を想起させる光景である。が、椅子の後方、つまりもう片面のコートのほうへと視線をすべらせれば、また印象が変わる。

こちらは、同じ学校行事でも、どちらかといえば図画工作展を彷彿させる様相を呈している。

白い布をかけた長机の上には、大小の展示品が陳列されている。会の告知とあわせ、故人にまつわる思い出の品を募集したところ、こちらも予想以上の反響があった。教え子や保護者、友人、仕事仲間、年齢も性別もまちまちな人々から、さまざまな品物を借り受けてきた。

ひとつずつ透明な箱型のアクリルケースの中におさめると、ぐっとそれらしくなった。遠目には、ちょっとした美術館のような雰囲気もある。実際、このケースは市立美術館から借りてきたものだった。館長もまたこの第三小学校の卒業生だそうで、この会の趣旨を伝えたら、ふたつ返事で貸し出しを快諾してくれた。

振り向いて、今度はステージの上を検める。こちらには特段目をひくものはない。中央の演台にたてかけてある、白黒写真のパネルを除いては。

悠然と微笑む高村正子先生と、しばし見つめあう。

「貫禄ありますよねえ、いかにも」

昨日の夕方、設営を手伝ってくれた隣の組の担任教師は、この写真をつくづくと眺めてそう評していた。忠司よりひと回り若く、高村と面識はないという。

「定年から十年以上も経ってるんでしょう？　それでこんなにひとが集まるって、人徳ですね」

高村先生を偲ぶ会をやろうというのは、大沢校長の発案だった。夏休み明けの職員会議の席で、議題に上った。

訃報を受けて、朝から職員室は高村の話で持ちきりだった。三小の教員の中には、高村のもとで学んだ教え子もいれば、何年もともに働いていた後輩もいる。あちこちで思い出話に花が咲き、目を潤ませている女性教師もいた。

大沢によれば、高村の葬儀は身内だけで執り行われたらしい。ひとり娘は海外に住んでいて、線香を上げにいくことすらできない。このままではさびしすぎるから、縁のあった人々で集まってお別れの会を開いてはどうかというのだった。

いいですね、と誰からともなく賛同の声が上がった。ところが、

「では、どなたかお手伝いしてもらえませんか？」

と大沢が呼びかけたとたん、職員室はにわかに静まり返った。

ついさっきまで競いあうように哀悼の意を表明していた同僚たちは、こぞって大沢の視線を避けるように目をふせて押し黙った。授業中、教師にあてられてしまわないよう祈りつつ、息をひそめて下を向く子どもたちと大差ない。

小学校の教員は忙しい。故人を偲ぶ気持ちがあるかどうかと、よけいな任務を引き受ける余裕を持ちあわせているかどうかは、また別の問題だ。むろん、忠司とて例外ではない。

が、一瞬遅かった。ぐるりと部屋を見回した大沢と、目が合ってしまった。

「小田先生、お願いできます？」

「僕ですか？」

　質問形に、抵抗の気持ちをこめたつもりだった。面倒だという気持ちがなかったといえばうそになるが、他にもっと適任がいるはずだとも思った。だからこそ、目をそらすタイミングが遅れてしまったのだ。

　忠司は高村とさほど親しいとはいえない。なにしろ、一緒に過ごしたのはたったのひと月だけだ。

「高村先生もきっと喜びます」

　大沢がにこやかに言った。

　張りつめていた職員室の空気がゆるんだのを感じつつ、忠司はしぶしぶうなずいた。あまり難色を示すのも、高村に悪い。短い間とはいえ、世話になったのは事実である。

　といっても、その時点では忠司も、たぶん他の教職員も、もっとこぢんまりとした規模の集まりを想像していた。

大沢の行動力と、高村の人徳を、甘く見ていたのだ。

役所にも市議会にも、教育委員会にも農協にも町内会にも、高村の死を悼む人々はそこらじゅうにいた。大沢は彼らに会の計画を説明して回り、協力と寄付を募った。あれよあれよと話は大きくなった。比例して、忠司がこなすべき雑用も増えた。

もっとも、忙しくなるとあらかじめわかっていたとしても、忠司が校長のご指名を断る勇気を出せたかは疑わしい。その性格を大沢も承知の上で、白羽の矢を立てたのかもしれない。

まあいい。なにはともあれ、ようやく前日までこぎつけた。明日を無事に乗り切れば、一息つける。いったんひきあげて、大沢に報告しよう。あとは明朝に花を搬入すれば準備は完了だ。本番に向けて、最後の打ち合わせもしておいたほうがいい。

頭の中で段取りを固め、忠司はなんとはなしに写真に手を合わせた。喜んでくれてますか、と心の中で問いかけても返事はない。

踵を返し、壇上からひょいと飛び降りようとして、思いとどまった。日頃から子どもたちに禁じていることである。

小走りに階段を下りた。無人の体育館に、足音がやけに響く。

渡り廊下を通って、職員室に向かった。朝晩は冷えこむようになってきたけれど、昼間は陽ざしがあたたかい。子どもたちが思い思いに校庭を駆け回っている。土曜の午後は特別な行事がない限り、遊び場として開放しているのだ。

校舎に入る手前でいったん足をとめて、全体に目を走らせた。ボールを投げあっている子もいれば、鉄棒やジャングルジムで遊ぶ子も、友達と一緒にただただ駆け回っている子もいる。そこかしこで誰かが叫び、甲高(かんだか)い笑い声がはじける。ざっと見たところ、特に問題はなさそうだ。

前に向き直り、再び歩き出そうとしたとき、忠司の足もとまでサッカーボールがころころと転がってきた。

「先生、とってー」

男子が三人、こっちに向かって手を振り回している。名前はわからないが、顔には見覚えがある。たぶん二年生だ。

忠司は慎重にねらいを定め、力いっぱい足を振りあげた。

蹴りつけたボールは、まったく見当違いの方向へ転がっていった。子どもたちはぽかんとして見送り、その三秒後にはげらげらと笑い出した。年齢が一桁のうちしかできない、体の奥でなにかが爆発したような笑いかただ。

「げー」

「いじわるー」

明るい声を張りあげると、いちもくさんにボールを追いかけていく。忠司がわざと変な方向をねらって蹴飛ばしたと思っているのだろう。

校舎の中へ、忠司はそそくさと足を踏み入れた。わざわざ誤解を正すこともない。ひとけのない廊下を進むにつれて、外の喧騒が遠のいていく。

忠司はスポーツ全般が苦手だ。あの子らと同じ年頃だったときから、ずっと。昔のほうが、今よりさらにひどかった。やせっぽちで力が弱く、足は遅く、反射神経も鈍かった。体育の授業がある曜日は、朝から憂鬱でしかたなかった。

それでも、短距離走やマット運動や跳び箱なんかは、まだよかった。くすくす笑われるのは恥ずかしいけれど、誰に迷惑をかけるわけでもない。とりわけ気が重かったのは、チーム単位でやらされる球技だった。サッカーでもバスケットボールでもドッヂボールでも、勝ち負けはそっちのけで、どうか球がこっちに飛んできませんようにと試合の間じゅう念じ続けた。

　クラスメイトたちも心得ていて、意図的にパスを回そうとはしないが、ひょんなはずみで転がってきてしまうこともなくはない。忠司にとって、ボールはまるい時限爆弾のようなものだった。すみやかに危険を遠ざけるべく、しゃにむに蹴ったり投げたりした。たいがいボールはあさっての方向へ飛んでいった。同じチームの子らはため息や舌打ちをもらし、子ども心にいたたまれなかった。

　とはいえ、ため息や舌打ち程度ですんでいたのは、幸運だったともいえるだろう。ひとつ間違えば、それをきっかけにいじめられていたかもしれない。

　教師となった今では、運以外の理由も思いあたる。今も昔も、いじめの標的になりやすいのは、よくも悪くも目立つ子どもだ。忠司は——よくも悪くも——地味すぎた。波風立てず、ひっそりとおとなしくクラスに溶けこんでいた。

　両親も息子の運動音痴は知っていたが、特段気をもんだり落胆したりするそぶりはなかった。父も母も、おおらかというべきか雑というべきか、細かいことにはこだわらないたちだったし、共働きで忙しかった。おまけに、忠司の下には弟妹が三人もいた。長男の運動神経について悠長に思い悩んでいるひまなどない。もうちょっと心配してくれてもいいのに、と当時は物足りなく感じたこともあったけれど、これも今にして思えば、気に病んで騒ぎたてられるよりははるかにましだっただろう。

子どもの能力や嗜好(しこう)が、親から寄せられている期待と必ずしもぴったり重なるとは限らない。多少のずれなら、双方が歩み寄ってすりあわせられなくもないが、あまりにかけ離れてしまうと悲劇が起きかねない。

十余年にわたる教師人生において、忠司は悲惨な事例を数多く目にしてきた。かつて野球少年だった父親――高校では県大会出場を果たした――は息子にも甲子園をめざさせたがる。音大卒の母親――プロのピアニストになりたかったが断念した――は娘に楽器を習わせようとする。わが子とともにキャッチボールをしたい、連弾をしたい、と夢見る親心は忠司にも理解はできる。一概に否定するつもりはないし、うまくいく場合もある。

ただし、そうでない場合もある。けっこうある。

「いったい誰に似たんだか」

嘆いてみせる親もいる。子どもに深く同情しつつ、忠司はたしなめる。

「お子さんにはお子さんの個性がありますから」

個性というのは、実に便利な言葉である。長所にも短所にも使えて、響きも好ましい。教師に多用される所以だ。保護者面談の時期なんかには特に、呪文さながらに繰り返すことになる。何度も口にしているうちに、とっくに味のなくなったガムをまだかんでいるみたいな気分になってくる。

個性というなら、忠司自身の小学校の通知簿も、なかなか個性的だった。

毎年、また毎学期、並んでいる数字は代わり映えしなかった。算数は常に五、理科と国語と社会科はたいてい四で、音楽や図工は三、そして体育が二だ。運が悪ければ一になる年もあった。

今と違って、公立小学校の成績は相対評価に基づいてつけられていた。クラス内で五段階評価のそれぞれに振り分けられるべき比率が定められ、その割合に応じておのずと人数も決まる。最上位の数人にのみ五が与えられ、その次が四、平均にあたる三が最も多く、二、一と続く。自身が級友たちの間でおおよそどのあたりに位置しているのか、たやすく理解できるしくみだ。あくまで客観的に、なおかつ容赦なく。

教師の立場からすると、機械的に計算できて手間がかからない。クラス全員に順位をつけて並べ、上からしかるべき人数ごとに区切って五段階に分ければすむ。万が一保護者にクレームをつけられても――そんな親も昨今に比べれば少なかっただろうが――論理的に説明がつく。

昔のほうがよかったとぼやいている同僚もいるけれど、忠司にとっては、絶対評価のほうが気は楽だ。一や二をつけられる子どもは子どもでつらいが、評価を下す側の教師としても心は痛む。少なくともこれまで忠司が勤めてきた公立小学校では、よっぽどの事情でもない限り、最低評価はつけないというのがどこも暗黙の了解となっていた。よけいなことをして、保護者に物言いをつけられてもやっかいだ。

休日の職員室はがらんとしている。先客はひとりだけ、教頭が奥の席にぽつねんと座って、書類仕事をしていた。

「おつかれさまです」

忠司が声をかけると、気の毒そうにねぎらわれた。

「ああ、小田先生。ご苦労さま」

雑事を忠司に押しつけてしまったひとりとして、後ろめたいのかもしれない。活動的な校長の傍らにいると、どうも影が薄い印象は否めないものの、悪いひとではない。

教頭のせいではない。頼みごとを断るのが下手なのも、忠司の「個性」なのだ。気が弱いだの、お人好しだの、優柔不断だの、昔からいろいろと言われてきた。

最もしっくりくる言い回しに出会ったのは、大学時代のことだった。

教育学部で専門単位のひとつとされていた児童心理学の講義で、自己肯定感という用語を忠司ははじめて知った。今でこそ、メディアでも日常会話でも普通に使われるようになったけれど、当時はそこまで一般的ではなかった。

自らの意見や行動に自信が持てない。他者の要求をつっぱねられない。無理をしてでも相手の意向に合わせることによって、認められ受け入れられようとする。自己肯定感の低い子どもに見られる傾向として挙げられた特徴はどれも、忠司にとっては身に覚えがあった。

それも、元をたどれば小学校時代に行き着くのかもしれない。

いじめられはしなかったけれども、幾分なめられているふしはあった。用事があるから掃除当番を交代してくれと強引に頼まれたり、班単位での研究発表を進めるときに面倒な調べものを任されたりもした。誰も進んでやりたくはないが、どうしても誰かがやらなければならないことが、忠司のもとへ回ってくるのだった。

たいていは文句を言わずに引き受けた。こういうボールだったら、忠司にも対処できる。サッカーの試合中に回ってくるパスに比べれば、どうということはない。体育の授業や運動会での失点の埋めあわせができるなら、悪い取引でもない。

それに、忠司がやらないとすれば、また別の誰かにパスをつながなければならない。そこでもめたり恨まれたりするくらいなら、最初から自分でやってしまったほうが早いし、後腐れもない。ありがとうと礼を言われ、助かったと感謝されれば、それなりに報われた気分にもなった。犠牲の精神というような、高尚なものでもなかった。あくまで効率の面で、そのほうが理にかなっているというだけの話だ。

ささやかな転機が訪れたのは、小学五年生の春だった。

転機といっても、単調とも平和ともいえる学校生活に、変化があったわけではなかった。変わったのは、放課後の時間だった。週に二日、隣市にある小中学生向けの学習塾に通い出したのだ。

保険会社の営業職として働く父の、懇意にしている顧客の親戚だか友人だかがその塾長で、小学生のお子さんがいるならぜひ、とすすめられたらしい。職業柄、父親がそうして仕事上のしがらみを家に持ち帰ってくることは時折あった。その少し前には、同じような経緯で空手道場に通わされそうになった。忠司が断固として拒否したため、かわりに弟が入門させられていた。今度こそ忠司の番だった。

気乗りはしなかった。通うからには宿題をこなさなければならないし、定期的にテストも行われるという。そもそも、父親の顔を立てるため以外には、塾など通う理由はなかった。学校の授業には問題なくついていけている。公立中学に進学する予定なので、受験対策も必要ない。近所ならまだしも、不慣れな電車に乗って行かなければならないのも億劫だった。

ところが、いざ通ってみると、塾は思いのほか楽しかった。

考えてみれば当然だった。塾は勉強をするための場所で、勉強は忠司の得意分野だ。得意なことに集中して取り組み、成果を出せば評価される。子どもにとっては理想的な環境というほかない。

毎週、国語と算数の授業を一コマずつ受けた。教わる内容は小学校のそれよりも格段に高度だった。特に算数は、比べものにならなかった。いくら考えても歯が立たない難問もあった。忠司にとって、学校ではまず経験しないことだった。しかし手こずれば手こずるほどに、理解できたときの喜びはひとしおだった。

塾では勉強のできる子が露骨に、また徹底的に評価された。テストがあるたびに結果が貼り出され、上位の成績をおさめた生徒を講師が名指しで褒める。算数のクラスでは、忠司は三回に二回は名前を呼ばれた。周りの子たちから羨望のまなざしを向けられて、うれしいというよりはどぎまぎした。これまでの人生では、そんな目で見られたことは一度もなかった。

学校では、忠司の学力を把握しているのはおそらく担任教師だけだった。授業中、積極的に手を挙げて発表するような度胸はなかった。万が一間違っていたら恥ずかしいし、下手に悪目立ちして、運動ができないくせに調子に乗っていると後ろ指をさされるのも避けたかった。塾と違って、テストの点数が公表されるわけでもない。学期末に通知簿が配られると、大半の子は受けとるなりさっと目を走らせるだけで、急いでランドセルにつっこんだ。

　でも塾では、成績は隠すものではなかった。学校で足の速い子やサッカーのうまい子がもてはやされるのと同じように、勉強のできる子が一目置かれる。

　ある日、授業のはじまる前に、隣の席の子が話しかけてきた。

「これ、解けた？」

　手に持っていた宿題のプリントを広げて、中ほどの一問を指さしてみせる。忠司もけっこう苦戦して、どうにか答えを導き出せた問題だった。

「合ってるかはわかんないけど」

　前置きして、忠司は解説した。彼は神妙に耳を傾けていた。

「あ、そっか」

　つぶやいたその子の表情を、忠司は今でも覚えている。

「わかった」

　と言われるより先に、彼が理解したということを忠司も理解していた。

　漫画の登場人物がなにかひらめいた場面で、頭の上に電球のマークが描かれていることがあるけれど、まさにそんな感じだった。四年生のときに理科の授業でやった、乾電池と豆電球をつないで回路を作る実験を思い出した。目の前に座っている相手の脳内で回路がつながり、首尾よく電流が通じた瞬間を、忠司は目撃したのだ。ともった光が、瞳の奥に見てとれた。

「ありがとう」

心からうれしそうに言われて、忠司までうれしくなった。

それ以来、授業の前後や休み時間に、たびたび質問を受けるようになった。そのうちに他の生徒も集まってきた。先生よりもわかりやすいと感激してみせる子さえいた。そんなことないよ、と謙遜しつつ、まんざらでもなかった。

みんなから頼りにされて誇らしかった。役に立てているのが喜ばしかった。相手の目に理解の光がさすのを見ると、なんともいえない満ち足りた気持ちが忠司の胸いっぱいに広がった。

一学期が終わる頃には、忠司はちょっとした人気者になっていた。

見慣れない女子から遠慮がちに声をかけられたのは、夏休みのはじめだった。夏期講習で、いつものクラスとは若干顔ぶれが違っていた。

「これ、教えてくれない？」

女子に質問されるのは珍しかった。小学校の高学年というのは微妙な年頃だ。男子と女子の間に壁ができ、気軽に口を利くのもはばかられた。

　これは現代の小学生にもあてはまる。時代が移っても、そういうところは変わらないらしい。小五や小六のクラスを受け持つと、異性どうしのいがみあいをなだめなければならないので大変だ。五年一組の担任となった今年度も、いざこざが起きるたびに仲裁に入っている。

　もっとも、あのとき忠司の返事が遅れたのは、女子とかかわりあいになりたくなかったからではなかった。ただ、いきなり知らない子から話しかけられて、頭がうまく回らなかった。

「だめ？」

　黙っている忠司の顔を、彼女がのぞきこんだ。リボンを結んだみつあみが揺れて、果物みたいな甘いにおいが漂った。

「ごめんね、いきなり。えっと、わたし、カワイサユリ」

　おずおずと名乗る。忠司に警戒されていると思ったのかもしれない。

「いいよ」

　ようやくしぼり出した声がうわずってしまい、忠司は赤面した。

　カワイサユリは気にするそぶりもなく、机の上に自分のプリントを広げた。前週の宿題だった。

空いている席から椅子をひっぱってきて横に座り、シャーペンを握って、また忠司の顔を見る。まつげが長い。大きな目でじっと見つめられると、なんだか吸いこまれてしまいそうだった。

と、カワイが目をふせてプリントに視線を落とした。

「どの問題？」

やんわりと催促されたように感じて、忠司はあたふたとたずねた。かぼそい声で返事があった。

「全部」

問題文を目でなぞるうちに、少しずつ落ち着いてきた。

いつものように、順を追って解説していく。いや、いつもより幾分力が入っていたかもしれない。カワイはじっと聞いていた。忠司が数式を口にすると、それをすばやく書きとめた。きれいな字だった。

一問を解く間、忠司は何度か一呼吸おいて、カワイの様子をうかがった。

ふだん他の子に教えるときもそうしていた。理解が追いついているようなら先へ進み、そうでなければもう一度説明し直す。あるいは、相手のほうが「ちょっと待って」と忠司をさえぎり、考える時間の猶予を求めることもあった。

しかし、カワイは一切そういうことをしなかった。忠司が言葉を切ると、すかさず先をうながした。

「それで?」

そのたびに、忠司は面食らった。カワイが理解しきれていないのは、顔を見れば一目瞭然(りょうぜん)だった。だが、はじめて話した女子にそう指摘するのも失礼な気がして、口には出せなかった。

ひょっとして、あせっているのだろうか。確かに時間は限られていた。宿題は今日中に提出しなければならないことになっている。全部、と聞いたときには、授業がはじまるまでにすませられるだろうかと忠司も少々気になっていた。

実際は、三問すべてを解き終えても始業のチャイムは鳴らなかった。忠司の解説をカワイがそのまま書きとるだけだから、たいして時間はかからなかったのだ。

「わかった?」

よかった、まにあった、と安堵したところで、疑問が口からこぼれ出た。

「うん」

どうしてそんなことを聞くのかとでも言いたげに眉をひそめて、カワイは勢いよくうなずいた。

「なら、いいけど」

忠司はもごもごと言った。勘違いだったのだろうか。女子に慣れていないせいで、調子が狂ってしまったのかもしれない。

カワイがプリントをたたんで、立ちあがった。

「ありがとう。助かった」

その日はじめての笑顔だった。

心のこもった笑みを向けられたとたん、よけいな考えはどこかへ吹き飛んでしまった。忠司はぎこちなく微笑み返した。カワイが椅子を元の位置に戻したところで、チャイムが鳴った。

その日の帰りに、駅までの道で一緒になって、また少し話した。

忠司が推測したとおり、カワイはあせっていたらしかった。提出した宿題は、採点されて後日返却される。その出来が悪いと、家でひどくしかられるそうだ。ずいぶん教育熱心な親のようだった。

「大変だね」

忠司は同情した。忠司の両親は、息子の成績にさほど注意をはらっていない。ときどき思い出したように「塾はどう？」とたずねてくるくらいだ。テストで一番をとったと答えれば、「すごいじゃない」と褒めてはくれるが、だからといって特に興味が増すふうでもなかった。

「しかたないよ」

カワイは物憂げに答え、上目遣いで言い足した。

「ねえ、これからも教えてもらっていい？」

「もちろん」

翌日も、カワイは宿題のプリントを持って忠司の席へいそいそとやってきた。次の日も、そのまた次の日も。休みが明けて平常授業に戻ってからも、それは続いた。

カワイがあせっていたのは、初日だけではなかった。

とにもかくにも、宿題をしあげることしか頭にない。当初の遠慮がしだいに薄れると、口述筆記もまどろっこしくなってきたようで、忠司のプリントを書き写させてほしいと頼まれもした。

「自分でやったほうがいいんじゃない？」

勇気をふるって、忠告してみたこともある。自分自身の頭で考えなければ、いつまで経っても身につかない。つまり、カワイのためにならない。

しかしカワイは聞く耳を持たなかった。

「だって、算数は苦手なんだもの」

ふてくされたように言う。

「無理なものは無理。数字を見てるだけで、気持ち悪くなってくる」

泣きそうな顔で訴えられては、忠司も口をつぐむほかなかった。

無理なものは無理、それが真実であることは知っていた。体育の授業中に、忠司もよくそう思う。練習しろ、すれば上達する、と教師も同級生も無邪気に口をそろえるが、なんの励ましにもならない。

「小田くん、いつもほんとにありがとう。こうやって手伝ってもらって、ものすごく助かってる」

感謝の言葉が、口先だけでなく真心からのものだというのは、忠司にも伝わってきた。カワイは本気で困っていた。心の底から助けを求めていた。

声にはならない切実な叫びが、忠司の耳には聞きとれた。教師としてたくさんの子どもたちと接してきた今なら、その理由がわかる。忠司もまた、小学校では同じような気持ちを味わっていたからだろう。

当時はそこまで追いこまれている自覚はなかったけれど、胸の奥底では、誰かに助けてほしかった。忠司がうっかり蹴りそこねたボールをさっと拾って「ナイスパス」と笑ってくれる誰かを、ひとりで居残りして班の課題を片づけていたら「一緒にやろう」と優しく声をかけてくれる誰かを、待っていた。

忠司はカワイの宿題を「手伝い」続けた。せっかく仲よくなれたのに、つまらない正論を言いたててきらわれたくなかった。なにより、追い詰められているカワイの力になりたかった。

でも、やりかたを間違った。

二学期の終盤に行われた実力模試で、忠司とカワイはたまたま隣どうしになった。

「お隣だね」

カワイは声をはずませた。くすぐったいような気分で、忠司は無言でうなずいた。

理科、国語、算数の順に、三科目を受けた。理科と国語は時間ぎりぎりまでねばっても解ききれないほどだったが、算数だけはいつもどおり余裕があった。最後まで解き終えて一息つき、計算間違いがないかもう一度見直そうと問題用紙をめくった。

ふと妙な気配を感じたのは、そのときだった。

体を動かさないようにして、視線だけを右に向けてみた。忠司と同じように体も顔も正面を向き、うつむきかげんに座っているカワイと、目が合った。

考えるより先に、手が動いていた。

まず、自分の答案用紙を、机の右端すれすれまでずらした。その左に問題用紙を並べてから、両手をそろそろと膝に下ろした。残りの試験時間は、問題用紙と答案用紙を見比べながらやり過ごした。見比べるといっても、ただ機械的に目を動かしていただけだった。問題文にも、解答欄に書き入れた答えにも、焦点は合っていなかった。心臓が早鐘のように打っていた。

監督官が試験時間の終わりを告げるまで、せいぜい五分か十分程度だったはずだが、やけに長く感じた。

答案が回収されてしまっても、まだどきどきしていた。膝の上で拳を握りしめていたせいで、手のひらがじっとりと汗ばんでいた。周囲の子どもたちが試験の出来についてわいわいと喋ったり嘆いたりしている声が、意味をなさない雑音として耳を素通りしていった。

カワイのほうは見なかった。見られなかった。

忠司がのろのろと帰り支度をすませ、思いきって右隣を見やったときには、席はもう空っぽだった。

半分、拍子抜けした。なんとなく、カワイも忠司と同じように、ぐずぐずと席を立ちあぐねているのではないかという気がしていた。もう半分は、ほっとしていた。どんな顔をしてなんと言ったらいいものか、はかりかねていた。

教室を出て、帰途（きと）についた。背後からの足音に何度か振り返ったけれど、誰も忠司を追いかけてきてはいなかった。塾の建物から遠ざかるにつれて、一連の出来事が現実味を失っていった。

早足で駅までたどり着くと、ほうっと腹の底から深い息がもれた。監督官からも、そばに座っていた塾生たちからも、なんにも言われなかった。ということは、誰にも見とがめられていなかったのだろう。家に帰り着く頃には、本当に何事も起こらなかったかのような気さえしてきた。

それなら、何事もなかったことにすればいい。

そもそも、カワイが忠司の答案を盗み見たのかどうかも、定かではない。仮に盗み見たとしても、書き写したとは限らない。それを知っているのは本人だけだし、わざわざ確かめるつもりもなかった。カワイもまた、忠司と話そうとは思わなかったから、黙って先に帰っていったのだろう。

その翌週も、忠司はいつものとおり塾に行った。

なるべく自然にふるまおうと心に決めていた。そうはいっても、やはり教室に入るなりカワイの姿を探さずにはいられなかった。

カワイはどこにもいなかった。

席をはずしているだけかと思ったが、よく見たら荷物もない。まだ来ていないのだろうか。珍しい。ふだんは決まって忠司より早く教室に着いていて、待ち構えていたかのように駆け寄ってくるのに。

なんだかいやな予感がした。ひとまず自席につこうとしたら、

「なあ、聞いた？」

と顔見知りの男子が声をかけてきた。

「こないだの公開テストでカンニングした奴がいて、退塾になったんだってさ」

息がとまりそうになった。名前を聞かされるまでもなく、それが誰のことなのかは見当がついた。

数日前にカワイが母親とともに塾長室に呼び出されていたといううわさは、あっというまに広まった。

その日塾に来ていた生徒によれば、お恥ずかしい限りです、と詫(わ)びる母親の声とすすり泣きが、廊下にまでもれ聞こえてきたという。退塾処分になったのではなく、自分からやめると申し出たという説もあった。

発覚に至った経緯についても、諸説が入り乱れていた。

監督官にみとがめられたらしいと言う者もいれば、突如(とつじょ)として高得点をたたき出したせいで不審がられたのだろうと推測してみせる者もいた。実は常習犯で、前々から目をつけられていたのだ、と訳知り顔で吹聴(ふいちょう)する輩までいて、忠司は怒りにかられた。それから、もっと見当はずれな意見も飛び出した。カンニングされた側の生徒が、被害者として訴え出たというのだ。

違う、と忠司は叫びそうになった。おれはそんなことしない。絶対しない。ひょっとしてカワイもそう疑っているのだろうかと考えただけで、いてもたってもいられない心地になった。

ただし、もちろん、実際に叫んだりはしなかった。カワイはもういない。いくら叫んでも、カワイの耳には届かない。無意味なことをしてもしかたない。そう自分に言い聞かせる一方で、黙りこむなんて卑怯だと情けなくも思った。

正直に白状しようかと考えなかったわけではない。カワイが答案を見ることになったのは、忠司が見せたからにほかならない。忠司は被害者というより、共犯者と呼ばれるべきだった。きっかけさえあれば、たとえば、もし塾長や講師から事情聴取のようなかたちでなにか聞かれたとすれば、洗いざらい話してしまっていただろう。

ところが、どういうわけか、そういう機会はめぐってこなかった。

カンニングが露見した以上、カワイが盗み見たのはどの生徒の答案だったのか、塾側が確認しなかったとは考えづらい。あえて忠司になにも言わなかったのは、事を大きくしないほうがいいと判断したからだろうか。当人が塾を去ったのだから、一件落着といえなくもない。好奇心旺盛な生徒たちが執拗に問い詰めても、講師陣は「カワイさんはご家庭の事情で退塾することになりました」の一点張りで通した。あの事務的な対応には、騒動を早く鎮めようというねらいがあったのかもしれない。

おとなたちの思惑どおり、冬休みを待たずに騒ぎはおさまった。

空いていた机には、新しく入塾してきた男子が座った。塾生たちのうわさ話の標的は、職場結婚をするという若い男性講師と女性事務員に移った。誰もがカワイのことを忘れてしまったようだった。ただひとり、忠司を除いて。

以来、カワイと会う機会は二度とめぐってこなかった。取り返しのつかないことをしてしまったという苦い後悔だけが、忠司に残された。

もっとも、後から冷静に考えてみれば、忠司が事実を明らかにしたからといって、カワイの立場がよくなるわけではなかったかもしれない。

忠司がわざとカワイから見えやすい位置に答案を置いた、そこまではいい。しかしそう説明したら、まず間違いなく、なぜそんなことをしたのかと問われたはずだ。そこで忠司はごまかしきれただろうか。すがるような目を向けられたから、と答えるかわりに、なにかもっともらしい理由をでっちあげなくてはならない。

答案用紙がたまたま視界に入ってしまって魔がさしたというのと、答えを見せるように目顔で頼んだというのでは、どちらのほうが情状酌量の余地が大きいかは、考えるまでもない。

〈つづく〉

松籟邸の隣人

第二十二回

宮本昌孝
Miyamoto Masataka

第十九話　明治白袴隊

スマートな赤葦毛の馬の鞍に落ち着き、山桜花の徽章の学帽に、白の開襟シャツ、白のズボンという正服姿の若者は、学習院中等科に編入後、初めての夏休みを迎えた吉田茂だ。洒落た磨硝子が目立つ新築の屋敷の玄関前である。

馬上の茂の横では、田辺広志が自転車に跨がっている。

「行ってらっしゃいませ、若様」

見送りの奉公人たちが声を揃える。

普段なら口取と雑用の下男を付き従わせるのだが、きょうは親友と水入らず、茂は広志とふたりだけで広尾の吉田邸の門を出た。

これから東京府南足立郡の西新井大師へ詣でる。松籟邸の執事・北条の顔に大きめのイボができたというので、塩地蔵尊の塩を頂戴しにいくのだ。

この塩を付ければイボ取りに霊験ありといい、江戸時代よりイボ取り地蔵の俗称で信仰されてきた。鰯の頭も信心からである。何かと前時代的な北条は喜ぶだろう、と茂は大磯へ帰るのを、このために明日へ延ばした。

「毎日、こんな大げさなのか」

吉田邸を振り返りながら、自転車を漕ぐ広志が呆れる。奉公人総出の見送りのことだ。

「横浜の小学校へ通ってたころは、朝の見送りの奉公人はもっと多かったよ」

気にも留めない茂だった。

「さすが若様……っていうより、もう殿様だな。学習院も馬で通ってるんだろ」

「毎日乗りたくて仕方ないんだ、ＤＢに」

乗馬の平頸を軽くぽんぽんと叩く茂である。

「愉快マックスのときの最高の贈物だったもんなあ」

「田辺くん。愉快マックスって、もしかして最高に楽しいっていう意味なのかな」

「まあ、そんなところだ。おれ流の造語さ」

「さすがビジネスマン。いずれ世界進出だね」

添田辰五郎の薬用サフランは、昨年の十二月に「諸反応異状なく日本薬局方所定の性質に適合するものなり」と横浜衛生試験所で認定され、明けて本年の明治三十一年（一八九八）四月には皇室献上の栄誉も賜った。さらに「品質性状頗る佳良にして」「舶来品に比するも敢えて遜色なし」という高評価に、全国各地から辰五郎のもとへ球根の注文が続々と舞い込んでいる。その助手として、広志は多忙であり、度々上京もするのだ。

「けど、まあ、おれはいまや馬やこの自転車よりも、あのパナール号ってやつに乗ってみたい」

「自動車か」

本年の正月、機械輸入業のフランス人テブネが日本に初めて自動車を持ち込んだ。フランスのパナール・ルヴァッソール社製でパナール号と称し、築地―上野間のデモンストレーション走行では、沿道を埋めつくした野次馬の驚嘆の声は大津波のごとくだった。茂と広志も、そのあまりの速さに目を丸くした。

テブネは三月にも築地居留地で最新の自動車を競売にかけたが、これは時速二十マイル（約三十二キロメートル）といわれた。道路の整備された東海道をノンストップで走るという環境が整っていると仮定すれば、日本橋から大磯までおよそ二時間で行ける。鉄道の新橋―大磯間の現時点の所要時間とさして変わらない。

いずれ乗合自動車などが出来て、庶民の交通機関として普及するのではないか。それが実現されれば、大量輸送が可能で進化しつづけるだろう鉄道は別として、少なくとも人力車や馬車や人車は無用の長物となる。そうなったときには、昨年の馬車鉄道と人車鉄道での冒険を懐かしく思い出すに違いない、とも茂は想像した。

「天人はアメリカで自動車を運転したことがあるらしいよ」

と茂が言い、

「羨ましいなあ」

広志は嘆息する。

「けど、馬との一体感は機械の乗物には決してない楽しさだって。ぼくもそう思う」

前回までのあらすじ

吉田茂は父・健三が亡くなったため、若くして吉田家の当主になる。藤沢の耕餘塾を卒業した茂は、東京に住む実父・竹内綱の屋敷に住み、学生生活を送っていた。夏休みになり、茂は母・士子のいる大磯に戻り、外相・陸奥宗光の許を訪ね、隣人で友人の天人と、陸奥宗光夫人になった亮子の馴れ初めを聞くが、明治三十年（一八九七）、宗光が逝って、衝撃を受ける。学習院に進学する茂は、母の命で写真家の下岡蓮杖を大磯に招き、世話になった人々とともに学習院の正服姿で写真に収まった。

もういちど、茂は乗馬の平頸を叩く。

茂がこの馬を天人からプレゼントされたのは、五色の小石荘の庭において、学習院の正服姿で写真撮影をした昨年九月末のことである。

ガーデン・パーティでは笑顔が絶えなかった。

被写体三十人を超える集合写真のほか、茂だけがひとりで、あるいは身内と幾葉か写真を撮ったのだが、そのたびに笑わせようとしたり、茶化したりした広志や猛太郎やどんじりやスミジイなどは、ついに腹を立てた写真師の下岡蓮杖から、杖で散々に尻を打ち据えられるという一幕もあった。

強盗を働こうとして松風軒らに諭された五人の若者も、参会者たちのやさしさに、泣きながら食事を共にした。

徳川晨子に関しては、行方を捜して大慌ての侍女や護衛らがやってきて、パーティの途中で連れ帰った。

そして、終宴を迎えようとする頃、天人が厩から一頭の馬を曳いてきたのだ。

「プレゼントです」

青味がかった白い毛に栗毛の交じる赤葦毛で、美しい体形をもつアラブ種である。

茂の学習院編入が決まったとき、姿のよい葦毛の馬を船で日本へ送ってほしい、とアメリカの親しいひとに手紙を出した、と天人は明かした。

それから、横浜に到着した馬を、天人は受け取りに行って、ひそかに大磯まで運んでおいたのだ。

「これまでの生涯で最高の贈物だよ。ありがとう」

自然と茂の声は震(ふる)えた。

「葦毛を選んだのは、なぜ」

と茂に問われて、天人は蕉門十哲(しょうもんじってつ)のひとりである森川許六(もりかわきょりく)の俳句を詠(よ)んだ。

「卯(う)の花にあし毛の馬の夜明けかな」

卯の花が白く咲き誇(ほこ)っている夏の夜明けに、その景色(けしき)に似合う葦毛の馬に乗って旅立つ。そんな意である。

「茂の新たな旅立ちに相応(ふさわ)しいと思ったのです」

「天人が俳句から思いつくなんて……」

「友の影響をうけました」

友とは、むろん茂のことだ。

「あとは馬に、茂の気に入った名を付けなさい」

「天人が付けてよ。そのほうが、もっと嬉(うれ)しい」

「ひとつ考えていた名はあります」

「若様はどうだ」

広志の茶々が入り、参会者たちの笑いが起こる。

「ひろ坊。若様が若様にお乗りになっちゃ、ややこしい」

茂を若様と呼び馴れているどんじりが難色を示した。

「DB」

と天人が言った。

「ディービーって、どういう意味」

英語のできる茂でもすぐには分からない。

「Day Break」

「夜明けとか、黎明のことだね」

「イエス。略して、DB」

許六の俳句とも連関している。

「うん。気に入った」

茂は最高の贈物の平頸に頬をすりつけた。

「お前はきょうからDBだ」

「陸奥夫人から貰った万年筆も最高だったよな」

と広志が言う。いま往還に人通りが少ないので、自転車を右に左に蛇行させている。

「田辺くん。文字、書かないだろ」

「あ、ばかにしたな。近頃は、サフラン販売の仕事で書類が増えてきたんだぞ。あんな舶来の上等なものじゃなくていいから、知られざる名品みたいな筆が欲しいよ」

「贅沢なこと言うじゃないか」

「パーカーを持ってるやつがよく言うよ」

「だったら、眞崎鉛筆に寄っていこう」

「鉛筆ねえ。どうせドイツ製なんだろ」

広志は気乗りしない。鉛筆といえばドイツ製の輸入品というのが、この当時の常識なのだ。

「日本製だよ」

「本当か」

「まあ、まだまだ名品とは言い難いだろうけどね。一般にはまったく知られていないという点では、田辺くんの希望通りさ」

「ちょっと興味が湧いてきた。けど、その鉛筆屋って、どこにあるんだ」

「内藤新宿」

かつての甲州道中の日本橋からの初駅である。

「遠回りじゃないのか。松風軒さんのところへも寄っていくんだろ」

「どういうこともないよ。ぼくたち、徒歩じゃないんだから」

実は、昨日、中岡浅吉という者が広尾の吉田邸を訪ねてきた。

東京という都会の様々な誘惑に負け、学生生活を維持できず、堕落、困窮した若者六人が昨秋、強盗を働こうとして五色の小石荘を侵した。松風軒誠雅は、その犯罪を思い止まらせると、東京感化院の高瀬真卿院長に口を利いて、逃げた石曽根寛治を除く五人を無償の給費生として同院へ入れてやった。松風軒と高瀬は刀剣研究の同好の士なのだ。

その五人の中のひとりが、中岡浅吉である。東京感化院を自主退院して、故郷の福井県へ帰るので、昨年の謝罪と別辞を告げに来たのだ。

中岡の話では、桐原庸介は入院早々に脱走し、なんとか年を越して耐えてきた大場修一という者も数日前に姿を消したという。石曽根と何やら絆が固そうだったのが桐原であり、後藤猛太郎などは両人が衆道ではないかと疑っていた。ほかの二人はまだ在院中であるらしい。

「本音を言えば、学習院で学べるきみが羨ましいが、自分は分相応に生きることにした。こうなったのも自業自得だし、もともと田舎暮らしと畑仕事が性に合っていたんだ」

　と中岡は自嘲気味に言った。

「そうですか。徳川の時代より自由になったことは多いけれど、それでも境遇が違いすぎるぼくには何も言えない」

　茂はそうこたえた。

「吉田茂くん。きみは正直なひとだ。ご出世を願っているよ」

「ありがとう」

「それと、松風軒さんには、きみから伝えてくれないか。お世話になっただけに、挨拶もせずに去るのはあまりの不義理と分かってはいるけれど、身勝手に退院するというか、逃げるというか、そんな情けないやつでは合わせる顔がないんだ」

　中岡が更生したのかどうか、茂には分からない。東京感化院では更生なかばで退院する者のほうがむしろ多い、と何かと事情通の猛太郎から聞かされているのだ。ただ、中岡の苦衷だけは察せられる。

「必ず伝えます」

　茂は請け合った。

　そして、このまま福井県へ帰ると告げて、中岡は東京をあとにしたのである。

一面の竹藪の中で、狸が跳びはねている。

「その眞崎仁六ってひと、こんなところで鉛筆、作ってるのか」

「さあ。ぼくも初めて来たから」

広志は自転車を降りて押し、茂も下馬してDBを曳いている。

四谷区内藤新宿町の一角で、多武峯内藤神社の付近である。後年の新宿御苑敷地の東外れに接するあたりだが、もともと江戸時代に大いに賑わった宿場街からも少し離れたところなので、寂しい場所なのだ。

何かが軋む音と水音とが聞こえる。

竹藪を抜けて、拓けたところへ出ると、軒の傾いている水車小屋が目に飛び込んできた。

隣接する家屋も、壁は剝がれ落ち、隙間だらけに見える。

「まさか、あれが鉛筆製造所……」

広志は眼を剝く。

「きっと水車が製造の力になってるんだろうね」

という茂の推察通り、眞崎鉛筆製造所は玉川上水の分水である渋谷川を利用した水車を動力源にしているのだ。

茂と広志が製造所のほうへ寄っていくと、水車小屋の向こうから、子どもらが走り出てきた。

短袴から素足を剝き出しにし、棒切れを振り回しているので、男の子たちと思ったが、よく見れば違う。十歳前後とおぼしい女子ばかりが五人だった。どの子も汗まみれだ。

女子たちは、茂と広志に気づくと、足を停めた。わけても、茂に目を釘付けのようすだ。学習院の正服を知っていて、気後れでもしたのだろうか。

ただ、ひとりだけ、昂然と顎を上げ、品定めでもするように茂を眺める娘がいた。

「眞崎鉛筆製造所に何かご用ですか」

その娘が、はきとした声で訊ねる。

「本邦初の鉛筆工場を見てみたくてね。気に入った鉛筆があって、売ってもらえるならとも思って」

と茂がこたえた。

「学習院の学生さんが気に入るようなものは、残念ながらありません」

「決めつけるんだね。きみは、もしや、ここの子かな」

「違います。われらは海賊です」

意外すぎる娘の返答に、茂も広志も聞き違えたかと思い、互いに顔を見合わせる。

戦国時代の倭寇の荒々しさや自由奔放を真似て、級友と「海賊組」を結成し、道徳を説く修身の授業などは欠席するという奇異な娘なのだが、初めて会った茂と広志の、もとより知るところではない。

ふたりのそのようすがおかしいのか、女子たちは皆、くすくす笑い出す。

「湘烟さんが喜びそうな子らだ」

思いついたことを、茂は呟くように言った。

「しょうえんさんて、もしや中島湘烟女史のことでしょうか」

「そうだよ」

「ご存じなのですか、湘烟女史を」

「亡くなった父が中島信行男爵と友人だったんだ」

「湘烟女史はわたしのあこがれです」

中島信行のことには触れず、そう言って、娘は眼を輝かせた。

「そうなんだ」

「良妻賢母なんて、くそ食らえですもの」

「湘烟さんは、そんなはしたないことは言わないと思うけど……」

女性解放運動の先覚者とはいえ、育ちのよい湘烟が、くそ食らえ、と口にするとはとても思えない茂である。

「乱暴なことばも、男子が申せば、元気だとか、豪快だとか、かえって褒められたりするのではないかしら」

　些(いささ)かもたじろがない娘だった。

「わたしは、平塚明(ひらつかはる)と申します」

　娘が名乗ったので、茂も仕方なく名を明かした。

「ぼくは、吉田茂。こっちは田辺広志」

「よろしくてよ、眞崎のおじさんに紹介してあげる。学習院の学生さんが鉛筆を使ってくれるなら、おじさん、喜ぶでしょうから」

　明の母・光沢(つや)の両親は、旧徳川御三卿(ごさんきょう)・田安(たやす)家の奥医師、飯島(いいじま)家の夫婦養子である。内藤新宿の大木戸の北側に田安家の下(しも)屋敷があって、光沢も少女時代に度々訪問し、内藤家の六万六千坪余りの広大な敷地でも遊ばせてもらった。その懐かしさから、明治の世になり、明を産んでからも、このあたりを散策した。明は、光沢に手を引かれて、水車を眺めているとき、鉛筆作りのおじさん眞崎仁六に出会って以来、時々、遊び場としているのだ。

「なんか書きづらいなあ」

　明たちに案内された製造所内で、鉛筆で紙に文字を書きながら、広志が言った。

「うん、ちょっとね」

　と茂も同様である。

「いまだ改良中ゆえ」

眞崎仁六は、若者ふたりの不評に怒りはしない。

「それに、削りにくそうだし……」

鉛筆の軸板を撫でてみる広志である。

芯を軸板で挟み込んだ、いわゆる「はさみ鉛筆」だ。使用して芯が減れば、軸板を削るのだが、その木目が一定していないので、きれいに削るのは難しそうである。

「いかに良質の木材を入手いたすか、それも模索中でな」

資金不足なのだろう、と茂は察した。

「どこかの省か、名ある会社に卸せるようになるとよいですね」

「むろん、そうなることをめざしている」

この三年後、眞崎鉛筆は逓信省御用品となり、その翌々年には、眞崎家の家紋の三つ鱗を三個のダイヤに見立てたロゴを商標登録し、次第に名を揚げてゆく。三菱鉛筆だ。なお、岩崎家の三菱財閥とは無関係である。

「眞崎のおじさん。どうやら、こちらはおふたりともご購入する気はなさそうよ」

明が茂と広志の表情を窺いながら言った。

「申し訳ない」

「右に同じ」

茂が謝り、広志も鉛筆を眞崎に返した。

茂は、後年になっても、日本の鉛筆は芯が折れやすくて削りにくい、と好みではなかった。

「また、いつでも来て、試して下されよ。必ず、徐々に出来が良くなるゆえ」

落胆しない眞崎だった。

「明さんといったね。きみは中島湘烟さんに会いたいのかな」

別れ際に、茂は明に質した。

「会わせてくれるのですか」

声を弾ませる明である。

「きみには眞崎さんを紹介してもらったからね。ぼくは毎年、夏を大磯で過ごすのだけれど、中島ご夫妻も今年の秋から大磯の別荘を本邸とされるご予定だから、来年の夏なら紹介できると思う」

「嬉しい。必ずまいります」

明は、明治四十四年に「元始、女性は太陽であった」と謳った婦人文芸思想誌『青鞜』を創刊し、以後、世の非難をものともせず、自由恋愛や婦人参政権獲得などの先頭に立って、大正・昭和を奔走する平塚らいてう（らいちょう）である。四十歳前で卒する湘烟とは、年齢差も大きく、行を共にすることはなかったが、日本の婦人運動の率先者の遺志を継いだといえよう。

皇居となった江戸城の外郭内一円の地域が、麹町区である。麹町、隼町、山元町、松風軒の住む平河町など一部の町地を除けば、武家地ばかりだったので、維新後は大名、旗本の広壮な屋敷跡が乳牛の牧場、官庁や軍事施設、公立・私立の学校その他の教育機関などに転用された。その関係で、政府官員や有力者の邸宅が目立つ、ゆったりとした高級住宅区域でもあった。

「ついでに、寅薬師に詣でていこう」

四谷から麹町区へ入り、麹町九丁目あたりにさしかかったとき、茂が広志に言って、薬師横丁とも称ばれる小路へ入った。

禅刹の常仙寺の本尊である薬師如来は、開山の祥岩禅師が凡俗の身だった頃、虎に姿を変えて、狼の難から救ってくれたという。ゆえに、寅薬師と俗称される。

茂は、山元町の日本中学校に通っているとき、幾度か参拝した。コレラや赤痢などの伝染病からも守ってくれるといわれたからだ。

(北条のことは言えないな……)

イボ取り地蔵といい、寅薬師といい、結句はわれこそ神仏の霊験を信じているところがあると思い至って、内心で自分を嗤ってしまう。

門前の馬つなぎに馬と自転車を預けてから、茂と広志は常仙寺の境内へ踏み入った。

　奥の本堂の前に軍人らしき装のひとの後ろ姿が見えるが、例祭日でもないので、人影は疎らである。

「学習院の柔弱者よな」

　本堂より手前の薬師堂の前に立った茂と広志の後ろで、その声がした。いやな言い方である。

　両人が振り返ると、男が八人。うち、ふたりは見知っている。

(石曽根と桐原だ)

　昨日、広尾の吉田邸を訪ねてきた中岡の口から、あらためてふたりの名が出たので、茂は五色の小石荘での記憶を新たにしていた。

「こいつら、白い袴だ」

　と広志が茂へ小声で言った。

　たしかに、八人いずれも白い袴姿である。

「白袴隊……」

　茂の声は恐怖に掠れた。

　東京では近年、学生間で鶏姦が流行り、男たちが目をつけた少年を所かまわず強姦するという事件も頻発している。鶏姦というのは、男同士が行う姦淫のことで、具体的に言えば肛門性交をさす。

わけても、揃いの白い袴姿の強姦集団が幾度も目撃されており、新聞はかれらに「白袴隊」と名付けた。幕末の会津藩で十六、七歳の少年たちによって編成され、戊辰戦争において飯盛山で悲劇の総自決を遂げた「白虎隊」をもじったものだ。強姦集団自体もこの呼称を気に入って、いまではみずから名乗っているらしい。

会津人の誇りともいうべき純真、忠義の少年たちを冒瀆するようなもじりだが、明治の世になっても前時代と変わらずに男色や衆道が当たり前の日本社会ゆえのことだろう。いまなお、女は三界に家なしを強いられて子を産む道具にすぎず、恋愛による性行為はむしろ男同士がするものであり、地方によっては伝統文化ですらある。維新後、野蛮な風習であると外国から非難され、いったんは刑法に鶏姦罪が設けられたものの、結局は馴染まず、十年足らずで撤廃された。

十二歳以下の男女への暴行強迫による性行為を重罪とする。刑法でそう定めるべきという機運が高まってきたのが、ようやく明治も三十年代に入ってからであり、警察はいまだ真剣に取り締まるところまではいっていない。

「きさま、吉田茂って名だったな。大磯ではおれは虚仮にされたが、あのときの仲間は世話になった」

石曽根が粘りつくような視線を向けてくる。あのときの仲間というからには、いまの仲間は白袴隊ということなのだろう。

「きょうは御礼参りだ。きさまの尻をたっぷり可愛がってやる」

「逆恨みはやめろ」

と広志が茂の前に出て、石曽根を睨みつける。

「ついでに、お前も手籠めにしてやる」

広志に向かって、唾を吐きかける石曽根だった。

白袴隊は、石曽根と桐原が少し退がり、あとの六人で茂と広志を取り囲んだ。全員が竹刀を手にしている。

「吉田くん。おれが突破口を開く。走って馬つなぎまで行き、ＤＢで逃げろ」

「田辺くんを置いて行けるもんか。怖いけど、ぼくも闘う」

覚悟をきめた茂と広志である。

六人がじりっと間合いを詰めたとき、その中のひとりが、悲鳴を発して、頭を抱えながら膝をついた。

その者を後ろから蹴倒したのは、軍人である。いましがた本堂の前に立っていたひとではないか、と茂は思った。

正帽、白色の立襟に銀色の五つ釦、左胸と左右腰部に雨蓋なしのポケット、白のスラックスに白の短靴。この頃の陸軍の夏衣である。

(陸軍大尉だ)

細線三条に星三つの袖章から、茂は見当をつける。

若くはなさそうだが、まことに見目が佳い。天人ほどではないものの、長身で鼻が高く、顔の彫も深いのだ。

大尉は、抜いたサーベルを右手に引っ提げている。

「屑どもがっ」

怒号を発するや、大尉はサーベルを素早く揮って、包囲陣の残り五人もたちまち打ち据えて倒してしまう。

皆殺しだ、と一瞬、身を竦めてしまった茂だが、血飛沫が上がらないので、その理由が分かって、安堵する。

(指揮刀だったんだ……)

少尉以上の将校は、戦時には殺傷できる軍刀を腰にするが、平時は指揮刀と称ばれる模擬刀身のサーベルを佩用しているのだ。

桐原が、突然の襲撃者のあまりの強さと軍服に恐れをなし、石曽根の後ろに回って、その背にしがみつく。

石曽根は懐から短刀を抜いた。

「びゃっこたいを称するなら、それで自害せよ」

大尉は会津の白虎隊のことを言っているのだ、と茂にも広志にも察せられる。

「うるさい。軍人だからって、おれは臆しはしないぞ」

石曽根は、桐原を振り払ってから、大尉に向かって短刀を突き出した。

が、動きが遅く、踏み込みも浅い。

難なく見切った大尉は、模擬刀身を石曽根の右手首へ振り下ろした。

骨の折れる音がした。

「ああああっ」

みっともない悲鳴を発し、足も滑らせて転倒した石曽根は、激痛に地をのたうち回る。

「寛治さん」

桐原が念者にしがみついた。衆道の兄分のほうを念者と称す。

「二度とびゃっこたいを名乗るでない。次は本身の軍刀を覚悟せよ。分かったな」

と大尉から睨み下ろされた桐原は、ぶるぶる震えながら、幾度も頷く。

「年長者が申しているのだ。しかと返答いたせ」

「は……はい」

蚊の鳴くような声である。

大尉に命ぜられた桐原は、慌てて、仲間を励まして立たせると、自身は石曽根を抱くようにして、皆で走って逃げてゆく。

「境内が汚れる。去ね」

今度は必死の大声だ。

「はい。分かりましてございます」

「聞こえぬ」

茂と広志は声を揃え、大尉に向かって深々と辞儀をした。

「ありがとうございました」

茂が名乗ろうとすると、なぜか、大尉がすかさず手を挙げて制した。

「ぼくは……」

「名乗られたら、こちらも名乗るのが礼儀。なれど、相済まぬことだが、白虎隊に関わることでは、わしに名乗る資格はないのだ」

少し伏目がちに言ってから、あらためて顔を上げた大尉は、

「武具を持つ多勢を相手に、素手で闘う気概をみせたきみたちは、立派な日本男児である。眼福であった。こちらこそ、礼を申す」

なんと正帽を脱いで胸にあて、軽く頭を下げたではないか。

茂と広志は、唖然とするわ、恐縮するわで、どう対応していいのか分からない。

「気をつけて帰りなさい」

それを別辞として、大尉は足早に去った。

姿勢のよい長身のその後ろ姿を、門を出るまで、両人は見送りつづけた。

「あっ、天人だ」

「松風軒さんも」

大尉と入れ違いに門を入ってきた二人連れを、茂も広志もすぐに見定める。松風軒は大尉をちょっと目で追ったようだった。

茂たちは、小走りに寄っていく。

「おう、何事もなさそうじゃねえか」

松風軒の声には安堵の響(ひび)きがある。

「ふたりとも、どうして……」

という茂の疑問には、天人がこたえた。

「松風軒さんが東京感化院へ入院させた五人を、茂も憶(おぼ)えていると思いますが、その中の大場修一という若者が昨夜、五色の小石荘を訪ねてきたのです」

大場は感化院を逃げ出してすぐ、石曽根に会いにいった。だが、石曽根が桐原とともに白袴隊に属していると知って、もはや関わりを持たぬほうがよいと思い直し、別れを告げた。そのとき、あの吉田茂という金持ちのガキを必ず痛い目にあわせる、と石曽根が息巻いたという。

それで大場は、迷った揚げ句、大磯へ向かった。感化院を紹介してくれた松風軒を訪ねなかったのは、結局は逃げ出した自分を恥ずかしく思ったからだ。

大場から子細(しさい)を聞いた天人は、今朝(けさ)、東海道鉄道で東京へ出て、広尾の吉田邸を訪ねたところ、茂はすでに愛馬で外出して、広志と一緒に西新井大師へ向かったというではないか。それで、松風軒にも報(しら)せるべきと思い立ち、平河町へ寄って、ともに出かけた。その矢先、松風軒が近所の知人たちの立ち話を耳にする。いましがた立派な赤葦毛の馬に乗った学習院の学生を見たという。

目撃した場所は麹町九丁目か十丁目あたりの往還だというので、松風軒と天人は急ぎ、探しにきた次第なのである。

「ぼくのところへも、昨日、あの五人のうちのひとりの中岡というひとが来たんだ」

茂も、そのときのことを語った。やはり大場と同じく、中岡も松風軒に合わせる顔がないと吐露(とろ)したことも。

「少なくとも、大場と中岡はちょっとはましな人間になったようだ。まあ、なんにせよ、シゲ坊らが白袴隊に襲われなくてよかったぜ」

ほっとひと息ついて笑顔をみせた松風軒だが、次の広志の一言にびっくりする。

「たったいま襲われたよ」

「なんだって」

　松風軒は、あらためて、茂と広志の全身をためつすがめつする。

「どこもやられちゃいねえように見えるぜ」

「いま、松風軒さん、門のところですれ違った軍人さんがいたでしょ。あのひとが助けてくれたんです」

　と茂が、薬師堂前での顚末を手短に語った。

「そうだったのかえ」

「名乗ってはいただけませんでしたけどね。びゃっこたいに関わることでは自分に名乗る資格はないって仰って。きっと戊辰戦争の会津の白虎隊のことだと思うけど」

「きっと死ぬまで消えねえんだな、あのことが……」

「あのことって……松風軒さん、知り合いなの」

「話したこたあねえが、よく知られたおひとだ。飯沼貞雄っていうのさ」

　慶応四年（一八六八）八月二十二日、会津戸ノ口原で官軍との戦闘に敗れた白虎隊士二十名は、翌日、飯盛山に辿り着いたが、見下ろす市街地の戦火から落城と思い違いし、もはやこれまで、と集団自決する。このとき、十六歳から入隊を許される白虎隊に、年齢を偽って十五歳で参じていた飯沼貞雄（当時は貞吉）も、みずから喉に刃を突き立てた。いったん家の門を出たら、おめおめと生きて帰るような卑怯未練の振る舞いをしてはならぬ、と出陣前に母から命ぜられてもいた。ところが、貞雄は、二十人中ただひとり死にきれず、虫の息だったところを、微禄の会津藩士の妻に助けられ、長岡藩軍医の治療によって一命をとりとめてしまう。その後、新政府軍に捕らえられるが、長州藩士の楢崎頼三に見込みある少年と気に入られて養育を受ける。

貞雄は、会津藩という故国のために若き命を散らした十九人に顔向けできない、と自殺を図るが、頼三に止められ、諭された。

「いまや日本には頻繁に異国船が押し寄せている。会津だ長州だとこだわっている時代ではない。われらは皆、団結して、日本国を強くするのだ。若いお前はその担い手にならねばならぬ。お国の役に立つべく、生きて、生きて、勉学に勤しむべし」

やがて工部省（のち逓信省）の電気技師となった貞雄は、日清戦争では陸軍歩兵大尉の階級で技術部総督として大本営付きに任じられた。ただ、それでも白虎隊への思いは消えず、携帯を促されたピストルを出征中でも身につけなかった。自分は飯盛山で死んでいるはずの人間だから、と。

「あのおひとは、このところずっと、麴町の界隈を歩き回っていたのさ。飯沼貞雄を知るひとたちは、きっと白袴隊を見つけて懲らしめるつもりじゃねえかって」

飯沼がここに出現したのはそういうことだろう、と松風軒は語り終えた。

学校の多い麴町区は、白袴隊にすれば狙う獲物の宝庫に違いないので、必ず遭遇できると飯沼は考えたのだろう。

「いまも自邸の庭に身不知を植えてるそうだから、根っからの会津武士なんだよ、飯沼貞雄っていうおひとは」

柿の品種のひとつで、質の良い渋柿として知られるのが身不知である。言葉としての身不知には、身の危険を顧みないという意があり、それもまた新政府軍に最後の最後まで抗った会津の特産物の名称らしい。

「吉田くん。おれたち好運だったな、そんな凄いひとに助けてもらって」

「そうだね。寅薬師の御利益かな」

広志とふたりで大きく頷き合いながら、茂はシンプソン家の家令であるマイクのことをちらりと思った。

(知ってるのかな、飯沼貞雄さんを)

日本人としての名を長江勘兵衛というマイクも、会津の出身である。

「シゲ坊。西新井大師に詣でるんだってな。そんなら、馬と自転車をおれんところに預けてよ、皆で円太郎で行こうじゃねえか」

と松風軒が言い出した。

落語家の橘家円太郎が乗合馬車の喇叭の音を真似て評判を呼んだことがきっか

けで、乗合馬車の愛称が円太郎馬車になった。略して、円太郎である。

「そいつは楽しそうだ」

広志が真っ先に賛成し、

「そうしようよ、天人」

茂も年上の友を誘う。

「オーケー」

天人は微笑(ほほえ)んだ。

「きまりだ」

手を拍(う)つ松風軒だった。


茂らが円太郎で西新井大師に乗りつけ、参拝して、塩地蔵尊の塩も袋に詰めてから、平河町の松風軒屋敷へ戻り、DBと自転車を返してもらって、ようやく広尾の吉田邸へ戻ったのは、日没までまだ少し時間のある頃合(ころあ)いである。夏の日は長い。

ただ、天人だけは、帰路の途中で別れている。

「わたしは、会わねばならないひとがいるのです」

「そうなんだ」

と返しただけで、茂は詮索(せんさく)をしなかった。いまだに謎(なぞ)めいたところのある行動も含めて、天人は友人なのだ。茂が問い質さないから、広志も松風軒も何も訊かなかった。

遅くなっても今夜中に吉田邸へ戻ると約束して、天人がひとり向かったのは、小石川区である。

実は、白袴隊の一件がなくても、きょうは上京するつもりだったのだ。

高台に立った天人は、西に富士山、南に広々とした早稲田田圃を眺め、その風光を束の間愛でてから、坂を下り始めた。

急坂である。おのが胸を突くようにしなければ上れないことから、胸突坂と称ばれる。

下りでも、足送りを誤れば、転倒して大怪我をしかねない。実際、人力車夫が勢い余って俥ごと坂下の神田上水まで一気に転がり落ちたことがある。

下り坂の左側は深緑の山がこんもりと盛り上がっている。大昔から椿の自生するところで、「つばきやま」と称ばれてきた。ここをほとんど山ごと買い取って、明治十一年に庭園付きの大邸宅を建て、「椿山荘」と名付けたのは山県有朋である。

坂の途中で、天人は立ち止まった。椿山荘を背負う恰好で、そこだけ別区画に建てられている屋敷の前だ。

昨年の建造なので、まだ新築の観が濃い門扉の前に、帯剣の巡査が二名、立っていた。

「シンプソンです」

天人が名乗ると、巡査らはきびきび動いて、門扉を開けた。屋敷のあるじから事前に伝えられていたと察せられる。

応接間に案内された天人が、待つほどもなく、あるじは入ってきた。

「呼び立てて悪かった。直に伝えたほうがよいと思うたのだ」

天人の顔を見るなり、そう言ったのは、陸軍少将の田中光顕子爵である。

天皇と天人をひそかに繋ぐ役をつとめている佐佐木高行伯爵と同郷の土佐出身で、同じく天皇親政を望む政治家なのだ。今年の二月には第三次伊藤博文内閣で宮内大臣を拝命した。その後、かねて藩閥政府に不満をもつ進歩党の大隈重信と自由党の板垣退助が合同で結成した憲政党が衆議院で絶対多数を占め、伊藤内閣が半年足らずで倒されたあとも、田中は引き続き宮内大臣の職にある。

田中が警視総監だった頃、天人は大磯に五色の小石荘を建て、日本へやってきた。田中が様々に便宜を図ってくれなければ、何の支障もなく住みはじめることはできなかっただろう。

「近頃、横浜で不動産を探している者の中に胡乱な男がいる、と伝わってきた。非番の巡査が胡乱とみたのだが、その男は絡んできたごろつきを倒すとき、見たこともない武器を用いたというのだ」

「どのようなものでしょう」

「その巡査が画にしておる。これだ」

田中は、机の引き出しから紙を取り出し、披いてみせた。

三日月のような形に湾曲した棒の曲折部の頂点に、三角状の尖ったものが付いている。

「その曲がっておる棒は一メートルくらいの木製のようだが、三角のものは刃の鋒にも見えたらしい。ただ、鋒は使わなかったようだ。棒の曲がりで相手の頸を引っ掛けておのれに引き寄せ、顔に拳を叩き込むのがおもな戦法で、それもまことに鮮やかであった、と」

「ｇｕｎｓｔｏｃｋです。正しくはｇｕｎｓｔｏｃｋ　ｗａｒｃｌｕｂ」

天人のおもてに微かな緊張がみえる。

「ガンストックとな……」

田中は初めて耳にする武器名だ。

「正しくはと申しましても、アメリカの先住民の武器に、西欧の人々が勝手に付けた名ですから、本当のところは知りません」

「なるほど、アメリカであるか。それで、繋がった」

自得するように頷いてから、田中はつづけた。

「武器のことがどうしても気になった巡査は、その後、男の行動を探ったところ、小柄の黒髪で膚の色も自分と変わらぬように見えたので、日本人と思っていたのだが、どうやら外国人と知れた」

「先住民には日本人に近い容貌の者もいますから」

「で、その男は、ピンカートンという言葉を口にしたそうなのだ」

もと警視総監だけに、いまでもこれくらいの情報は仕入れることができる。また、天人とピンカートン探偵社の確執も、田中は知っている。

「存じておる男のようだな」

「クアーという名で、ジョサイア・キャシディが使う殺し屋です」

「なんと、そっちのほうであったか」

田中は、アメリカの富豪のジョサイア・キャシディが天人を息子の仇と狙っていることも承知だ。キャシディ家とピンカートン探偵社が繋がっていることも。

「あるいは、一年前の先乗りの役を担っているのかもしれません」

「一年前の先乗りとは」

「来年の夏、改正条約の施行により、外国人も日本国内のどこにでも住めて、自由に往来もできるようになります」

「つまり、キャシディ家やピンカートン探偵社の者らがいつでもやってきて、きみの命を狙うということか」

「狙われるのがわたしだけなら、どうとでも闘えるのですが……」

「してほしいことがあれば、なんでも申せ。いまは警視総監でないわしにできることは限られるだろうが、できうる限り力をかそう。佐佐木さんにも話しておく」

「ありがとうございます」

天人が田中邸を辞したのは、すっかり日が落ちてからである。

（どうするか……）

思案しつつ、天人は夏の夜道をそぞろ歩いた。

町地の往還では、日中の暑熱から解放されて心地よいのだろう、縁台で涼む人々が少なくない。田畑の多いところでは、音がないようでも、自然の声というものに包まれる。

その平穏さに、憂い事もなんとかなると思えてしまう天人だった。

「楽しみなさい」

横浜で少年の天人を助けてくれたひとも、アメリカで出会ったグラント将軍もジュリア夫人も、よくそう言って、みずから笑ってみせてくれたのだ。

広尾の吉田邸の門前に立ったとき、背後から飛来したものを躱すことができたのも、心にゆとりを持っていたからだろう。悩んだり、憂えたりして、心が病んでいたら、反応が遅れたに違いない。

飛来物は、石造の門柱で跳ねて火花を発してから、天人の足許に落ちた。

腰を落として、飛来物を拾い上げざま、五体を地へ転がした。次の攻撃への防禦だ。

第二の攻撃は来ない。片膝立ちになって、あたりの気配を窺った。

手にしている飛来物を、月明かりで確認した。三角状の金属で、一方の先端が尖っている。

(ガンストックだ)

三角状のそれは、着脱可能であるのがガンストックである。

天人は、それを、闇に向かって投げた。手裏剣のように。

直後、遠ざかる足音が聞こえた。相手には命中しなかったようだ。

(ここで待ち伏せしていたのか……)

茂と広志の危険を想像して、さすがに天人は総毛立った。

ほうほう……。

何やら含みのある調子の啼き声は、青葉木菟のものだろう。

〈第十九話　了〉

間宮改衣

Mamiya kai

自然に思い浮かんだ言葉に導かれてできた物語

第十一回ハヤカワSFコンテストで特別賞を受賞し、『SFマガジン』に掲載されるやいなや大きな反響を呼んだ間宮改衣(まみやかい)さんの『ここはすべての夜明けまえ』。物語の舞台は、二一二三年の日本。「身体(からだ)が老いなくなる手術」を受けた「わたし」が綴(つづ)った約百年にわたる家族史は、読む者の心を静かに、しかし確実に揺さぶってくる……。あまりに鮮烈なデビューとなったこの作品は、いかにして紡(つむ)がれたものなのか？　創作の背景を直撃した。

純文学からSFに挑戦したワケ

——デビュー作『ここはすべての夜明けまえ』は、誌面掲載時から注目を集めました。この反響をどのように受け止めていますか。

間宮　とにかくびっくりしています。ハヤカワSFコンテストに応募した時点では、まさか自分がこうして特

取材・文＝友清 哲

『ここはすべての夜明けまえ』
早川書房
定価：1,430円（10％税込）

まみや　かい
1992年、大分県大分市出身。『ここはすべての夜明けまえ』で第11回ハヤカワSFコンテスト特別賞を受賞し、デビュー。

別賞をいただき、それが雑誌に掲載されて本になるという未来など、まったく想像していませんでした。そもそも、自分が書いた小説を誰かに読んでもらう事態すら念頭になかったので、恐ろしさすら感じているのが実情ですが、多くの読者の方と出会えたことは私にとって忘れられない体験になると思います。

——誰かに読まれることを想定していなかったということは、あまりデビューを現実的にイメージされていなかったということですか？

間宮　そうですね。というのも、これまで純文学系の新人賞に四度ほど投稿しているのですが、一次選考すら通過したことがなかったので、その先に進める自分というのがまったく考えられなかったんです。

――すると、SFのジャンルに挑戦したのは今回が初めて？

間宮　そうなんです。純文学でまったく結果が出ていなかったので、少し目線を変えてみようとあれこれ悩んだ結果、〝機械になってしまった女性〟という今回の着想が生まれました。調べてみたところ、ハヤカワSFコンテストの締め切りがほどよいタイミングに設定されていて、おまけに募集要項の中に「広義のSF」という文言があったので、これならいけるかもしれないと考えました。加えて、ハヤカワSFコンテストは、もし一次選考を通過できたら必ず講評がもらえるので、その点も魅力的でした。

――純文学作家を目指されていた間宮さんが、こうしてSF作家として世に出ることになるのは、面白い巡り合わせですね。

間宮　ただ、応募の時点ではまだ、プロの作家になりたいというよりも、締め切りがあること自体が私にとっては重要でした。何か明確なゴールを設定したほうが、モチベーションを保てるだろうと思っていたので。

――間宮さんが小説を書き始めたきっかけは何だったのでしょうか。

間宮　きっかけは、二〇二一年の春から、カルチャーセンターの小説講座に通い始めたことでした。それまでは小説ではなく脚本家を目指して、仕事の傍ら渋谷の脚本スクールに二年ほど通っていたんです。ところが、脚本のほうでも何度かコンテストに応募してみたものの、そちらもやはり芽が出なくて……。

——それでも創作意欲は持ち続けていた、と。

間宮　そうですね。私は二十五歳の時からずっと、ゲームや音声ドラマのシナリオライターを生業にしてきました。しかし、同じ文章を書く仕事でも、自分の名前が出ないことに物足りなさを感じていましたし、クライアントの意向が強く反映されたものではなく、自分のオリジナル作品を世に出すことに対する憧れもありました。そこで脚本に挑戦してみましたがダメで、小説もこれまで純文学を書いてみましたが、それもやはりダメで。SFを書いてみたらようやくこうして結果に繋がった、というわけです。

多大な影響を受けた『アルジャーノンに花束を』

——こうしてお聞きしていると、SFというジャンルに特別なこだわりを持っていたわけではなさそうです。

間宮　恥ずかしながら、その通りなんです。初めてＳＦを意識したのは『メッセージ』という映画でした。映画が面白かったので、その原作になったテッド・チャンの短編「あなたの人生の物語」も読んでみて、「なるほどこれがＳＦか」と認識したのが原体験になっています。その後、カズオ・イシグロさんの『クララとお日さま』にハマり、同じく『わたしを離さないで』の世界観に大きな影響を受けました。さらに、これはいろんなところで「影響を受けていそう」とご指摘いただいていることでもありますが、ダニエル・キイスの『アルジャーノンに花束を』がとても素晴らしくて、「小説にはこういう書き方もあるんだ！」と感銘を受けました。

――本当に、ＳＦを一から勉強された形ですね。

間宮　おっしゃる通りで、こうした著名な作品に触れながら、自分がいかにＳＦというジャンルを理解していなかったかを思い知りました（苦笑）。

そこで大森望（おおもりのぞみ）さんの『ＳＦの書き方「ゲンロン 大森望 ＳＦ創作講座」全記録』を手にとって、必ずしもＳＦ＝ハードＳＦではないということや、物理や数学など科学的な知識がなければ書けないものではないことを学べたのは大きかったですね。もちろん、そうした知識に長（た）けているほうが有利なのでしょうけど、発想次第で多種多様なアプローチがあるのだな、と。

自然に出てきた言葉に従って書いた物語

――先ほど〝機械になってしまった女性〟というアイデアが最初にあったとお聞きしました。その後の構成については、どのように進められたのでしょうか。

間宮　もう少し具体的に言うと、今回はまず、「機械になった人がそれまでの人生を振り返る」という構図だけが頭にあって、その設定をもとに、その人物の家族構成や、それぞれがいつ何の理由で亡くなったのかなどを、年表形式でまとめました。

もっとも、この時点では主人公が何を語るのかはまったく決まっていなくて、「いまからわたしがはなすのは、わたしのかぞくのはなしです」という最初の一文を書いたときに初めて、その先の展開が見えてきました。「そうか、じゃあ私は今から彼女の家族のことを書くんだな」と理解したというか。今回は終始、そうやって自然に出てきた言葉に従って書いた感覚が強いですね。

――その冒頭ですが、主人公が平仮名まじりで書き下ろす、非常に特徴的な文体も大きな話題になりました。

間宮　平仮名まじりで書こうという

のも、最初に「二一二三年十月一日ここは九州地方の山おく……」と、「おく」を平仮名で書いた瞬間に決めたことなんです。この人は漢字を書くのが面倒臭いんだな、つまりこれは手書きで書かれたものなんだなと、私自身が導かれていった印象です。

――あえて平仮名まじりの読みにくい文体から幕を開けることについて、読み手が離脱してしまうリスクなどは感じませんでしたか。

間宮　そこはやはり、そもそも人に読まれるという行程をまるで意識していなかったからこそ、できたのでしょうね。今にして思えばご指摘のリスクはごもっともですが、ＳＦの下地がなかったこととも相まって、ダメ元の挑戦でした。結果が幸いしたのは運がよかったです。

――主人公がその後、家を出て他者と出会うことで、物語は進行します。こうしたプロットも自然に展開されたものですか？

間宮　そうですね。主人公がずっと一人でしゃべっているのでは厳しいでしょうから、おそらくどこかへ話し相手を探しに行くのだろうとは思っていましたが、それがどこの誰なのかはプロットを考える時点では私にもわかりませんでした。

――舞台となっている一〇〇年後の世界については、どのように想像を巡らせたのでしょうか。

間宮　ネットで検索してみると、一〇〇年後の世界を想定している企業の資料などが、いろいろ出てくるんです。気候変動や災害などをシミュレーションして書かれたものが多く、それらを見ながら歴史の変遷（へんせん）を自分なりに想像してみました。今回、安楽死や同性婚といったテーマに触れていますが、これは現代の社会課題を鑑（かんが）みながら、「こういう未来にはなってほしくないな」という世界をあえて描いています。

――間宮さんは今後もＳＦ作家として活動していくのでしょうか？　目指す作家像について最後に聞かせてください。

間宮　次回作もすでに書き始めていますが、今回とは文体も内容も異なるものになる予定です。ただ、『ここはすべての夜明けまえ』にも通ずる部分として、現実的な題材と私自身が生み出す虚構を組み合わせた舞台でありたいとは思っています。

実際、今こうして反響をいただいている事実自体が、私にとってはどこかふわふわとした虚構のような現実で、「この先、自分はどうなっていくんだろう？」と興味を持っています。こういう感覚をうまく取り入れて仕上げたものが、もしかすると次もＳＦと呼ばれるジャンルの作品になるのかもしれません。

わたしのちょっと苦手なもの⑪

奥歯に響く

三浦しをん（作家）

財布、鍵（かぎ）、お守り、小さなマスコットキャラやキーホルダー、リュック、ランドセルなどについていることが多い、あいつ。チリチリと存在を主張する、あいつ。そう、私はちっちゃな鈴が苦手だ。あのチリチリした音を聞くと、うえの奥歯の根っことというか、こめかみというか、なんかそのあたりがヒーヒーして、「もうやめてけろーっ」と叫びたくなる。

なので、お守りやマスコットキャラをもらったり買ったりしたら、ついている鈴を即行ではずす。しかし問題は、私以外のひとが、所持品に鈴をつけていた場合だ。いくらなんでも、まえを歩くひとの財布やランドセルを強奪して、ぶらさがった鈴を引きちぎるわけにはいかない。鈴をチリチリさせているひとを、なるべく早足で追い越し、そのままぐんぐん距離を取るしかないのだが、残念なことに、私は歩くのも走るのも遅い。相手が小学生であっても、追い越すことはもとより追いつくことすらむずかしく、チリチリ攻撃をひたすら耐え忍んでいる。

大きな鈴やカウベルみたいな、コロコロとまろやかな音は平気だ。風鈴は、ものによる。とにかく、甲高くて極細で鋭（するど）い感じの金属系の音がすると、超音波（？）

で奥歯の根っこが砕けそうになるのだ。もしかして虫歯で根っこが弱ってるんだろうか。

同じようにヒーヒーする感覚を、リンゴや焼いた鰤を食べるときにも覚える。もしかして知覚過敏……ではないと思う。

リンゴや焼いた鰤を噛むと、なんかキュッとした金属っぽい感触が、うえの奥歯の根っこに伝わってきませんか。きませんよね……。この感じ、「わかる！」と同意してもらえたためしがほとんどない。友人と食卓を囲んでいて、私だけがヒーヒーと悶えていることがちょくちょくあり、ちょっと恥ずかしいしさびしい。まあ、「ヒー」となりつつ、リンゴも焼いた鰤もおいしいから、積極果敢に食べてしまうのだが。

こう書いてきて思ったのは、私が苦手なのは、ちっちゃな鈴やリンゴや焼いた鰤ではなく、うえの奥歯の根っこなのではないかということだ。私のほぼ全身が、どちらかといえば鈍感さで構成されており、なにに対しても「よきにはからえ」って感じなのに、うえの奥歯の根っこだけが異様に感度良好で、「チリチリした音！　キュッとする食感！　もうやめてけろーっ」と騒ぎたてる。

頼むから眠っていてくれ、うえの奥歯の根っこ。

みうら　しをん　1976年東京生まれ。2000年『格闘する者に○』でデビュー。06年『まほろ駅前多田便利軒』で直木賞、12年『舟を編む』で本屋大賞を受賞。他に『風が強く吹いている』『光』『墨のゆらめき』など著書多数。

文蔵

◆筆者紹介◆

6月号

あさのあつこ

54年岡山県生まれ。「バッテリー」シリーズで数々の賞を受賞。著書に、「おいち不思議がたり」「The MANZAI」「NO.6」「弥勒の月」シリーズ、などがある。

瀧羽麻子 たきわ あさこ

81年兵庫県生まれ。2007年『うさぎパン』でダ・ヴィンチ文学賞大賞を受賞し、デビュー。著書に『ありえないほどうるさいオルゴール店』『博士の長靴』など。

寺地はるな てらち はるな
77年佐賀県生まれ。14年『ビオレタ』で第4回ポプラ社小説新人賞を受賞。著書に『川のほとりに立つ者は』『水を縫う』『ガラスの海を渡る舟』など。

中山七里 なかやま しちり
61年岐阜県生まれ。09年『さよならドビュッシー』で「このミステリーがすごい！」大賞を受賞。著書に『越境刑事』『帝都地下迷宮』『ヒポクラテスの悲嘆』など。

宮本昌孝 みやもと まさたか
55年静岡県生まれ。『天離り果つる国』で、『この時代小説がすごい！ 22年版』の単行本部門第一位を獲得。著書に、『剣豪将軍義輝』『ふたり道三』『風魔』など。

村山早紀 むらやま さき
63年長崎県生まれ。『ちいさいえりちゃん』で毎日童話新人賞最優秀賞、椋鳩十児童文学賞を受賞。代表作に「コンビニたそがれ堂」「桜風堂ものがたり」シリーズなど。

和田はつ子 わだ はつこ
東京都生まれ。日本女子大学大学院修了。著書に「料理人季蔵捕物控」「ゆめ姫事件帖」「口中医桂助事件帖」「花人始末」シリーズなどがある。

文蔵◆バックナンバー紹介

Vol.197 2023年1・2月
〈ブックガイド〉新世代のミステリー作家に大注目

Vol.198 2023年3月
〈特集〉「建物」が生み出す物語
●新連載小説 西澤保彦「彼女は逃げ切れなかった」（〜2024・1・2）
●新連載エッセイ わたしのちょっと苦手なもの

Vol.199 2023年4月
〈特集〉二刀流作家の小説が面白い

Vol.200 2023年5月
〈特集〉あさのあつこ その作品世界の魅力

Vol.201 2023年6月
〈特集〉時代を映す「青春小説」
●新連載小説 瀧羽麻子「さよなら校長先生」

Vol.202 2023年7・8月
〈特集〉ジョブチェンジ小説で未来を拓け
●新連載小説 村山早紀「桜風堂夢ものがたり2」

Vol.203 2023年9月
〈特集〉竹宮ゆゆこ作品の魅力に迫る
●新連載小説 あさのあつこ「おいち不思議がたり」
寺地はるな「世界はきみが思うより」

Vol.204 2023年10月
〈特集〉「スパイ・国際謀略」小説
●新連載インタビュー 推し本、語ります

Vol.205 2023年11月
〈特集〉小説で考える「ルッキズム」

Vol.206 2023年12月
〈特集〉作家・今村翔吾の軌跡

Vol.207 2024年1・2月
〈特集〉小説で読み解く紫式部と「源氏物語」

Vol.208 2024年3月
〈特集〉とにかくかわいい「猫小説」

Vol.209 2024年4月
〈特集〉目が離せない！ 神永学の作品世界
●新連載小説 和田はつ子「汚名 伊東玄朴伝」

Vol.210 2024年5月
〈特集〉「大正時代」が舞台の小説
●新連載小説 中山七里「武闘刑事」

※創刊号（2005年10月）〜Vol.196（2022年12月）は品切です。

目次は文蔵HP[https://www.php.co.jp/bunzo/]でご覧いただけます。

ＰＨＰ文芸文庫　文蔵 2024.6

2024年６月３日　発行

編　者　「文蔵」編集部
発行者　永田貴之
発行所　株式会社ＰＨＰ研究所
東京本部　〒135-8137　江東区豊洲5-6-52
文化事業部　☎03-3520-9620（編集）
普及部　☎03-3520-9630（販売）
京都本部　〒601-8411　京都市南区西九条北ノ内町11
PHP INTERFACE　https://www.php.co.jp/
制作協力
組　版　朝日メディアインターナショナル株式会社
印刷所
製本所　図書印刷株式会社

ISBN978-4-569-90402-3